D0504685

Ménopause, nutrition et santé

ÉDITION DU CLUB QUÉBEC LOISIRS INC.

Dépôt légal — Bibliothèque nationale du Québec, 1999
ISBN 2-89430-364-5
(publié précédemment sous ISBN 2-7619-1455-4)

Imprimé au Canada

Louise Lambert-Lagacé
Diététiste

Ménopause, nutrition et santé

Remerciements

Chaque livre a son histoire et celui-ci en a une particulièrement heureuse. Cet onzième ouvrage de ma collection a eu l'avantage d'être dorloté par plusieurs personnes que j'aime et qui aiment ce que je fais. Toutes ces personnes ont créé un environnement favorable et m'ont aidée à façonner un bon outil d'information pour les femmes à la ménopause.

Jacques Laurin, éditeur de la maison, a parti le bal en acceptant d'emblée mon projet. Il mérite ma plus vive gratitude non seulement pour avoir dit oui, mais pour avoir également entretenu à sa façon mon élan de départ. Lise Guertin, son bras droit, m'a aussi encouragée en commentant de façon si constructive la première ébauche du manuscrit.

Roxane Duhamel, collègue du Réseau des femmes d'affaires du Québec, m'a virtuellement accompagnée tout au long de la rédaction en relisant et en réagissant ponctuellement à chaque chapitre. Une lectrice en or que je remercie chaleureusement.

Jérémie Thériault et Marilène Gagné, stagiaires en diététique, ont effectué des recherches bibliographiques et recueilli des données en magasins. Jérémie a également relu certains chapitres avec un sens critique remarquable. J'ai beaucoup apprécié leur contribution.

Enfin, la jeune diététiste Caroline Dubeau a travaillé à clarifier et à embellir l'information. Le livre ne serait pas le même sans elle!

Quelques femmes, jeunes et moins jeunes, ont accepté de relire le manuscrit et de me transmettre leurs commentaires. Je remercie Noella Lacasse, Lise Garneau, Christiane Desjarlais et ma fille Pascale pour leur temps et leur encouragement.

Quelques professionnelles de la santé ont également mis leur grain de sel. Je dois admettre que je redoutais d'avantage leurs critiques. Merci, chères Diane Corbeil et Andrée Chatel, car vos bons commentaires m'ont donné des ailes. Merci aussi à mes deux associées exceptionnelles, Louise Desaulniers et Michelle Laflamme.

Je remercie aussi Odette Lord qui a révisé le manuscrit avec sa minutie habituelle et une patience d'ange, l'équipe de Linda Nantel qui a transformé *l'amas de feuilles* en un livre facile à lire et à consulter, Rachel Fontaine qui a pensé et repensé la couverture ainsi que Sylvie Archambault qui a promis de communiquer la bonne nouvelle à tous les intéressés. Sans une telle collaboration, l'histoire de cet ouvrage ne serait pas aussi heureuse.

Il ne me reste qu'à souhaiter longue vie à *Ménopause, nutrition et santé.*

Pourquoi j'ai eu le goût d'écrire ce livre

Je vous offre aujourd'hui un livre sur la nutrition adaptée à la période de la ménopause. Je l'ai écrit avec beaucoup de plaisir, car j'ai eu l'impression de poursuivre mon dialogue avec vous. Dans le *Défi alimentaire de la femme,* j'ai voulu vous faire prendre conscience de l'importance de la nutrition durant toutes les grandes étapes de votre vie; j'ai aussi tenté d'harmoniser votre relation à la nourriture. Dans *Ménopause, nutrition et santé,* j'aborde certains malaises associés à la ménopause et je vous propose des solutions alimentaires pour les régler. J'aborde aussi la prévention des problèmes à long terme (ostéoporose et maladies cardiovasculaires) et je vous mets sur la piste de plusieurs aliments gagnants.

J'avais 42 ans lorsque j'ai commencé à m'intéresser à la ménopause, pas la mienne, mais celle des autres. J'ai accepté à ce moment-là de travailler à l'élaboration et à l'animation d'ateliers sur la ménopause dans le cadre des Belles soirées de l'Université de Montréal. Je ne connaissais rien ou presque à la question. J'avais tout à apprendre et je savais, qu'un jour, l'information me servirait. Quinze ans et quelque 30 ateliers plus tard, je connais mieux le dossier. Je dois beaucoup à mes collègues animatrices, un médecin, Diane Corbeil, et deux psychologues, Nicole Trudel et Andrée Chatel, qui ont partagé avec moi non seulement leur bagage de connaissances, mais aussi leur réflexion sur ce mitan de la vie.

Lors des premiers ateliers en 1983, les recherches sur l'alimentation à la ménopause étaient quasi inexistantes. Le dossier a beaucoup évolué depuis. Par exemple, des chercheurs américains et européens se sont enfin intéressés au phénomène du gain de poids à la ménopause. Plusieurs autres ont mesuré l'effet des différents gras sur les artères des femmes, alors qu'avant ils ne se préoccupaient que des artères des hommes. Des chercheurs de Finlande et d'Australie ont identifié la présence d'hormones (les phytoestrogènes) dans certains aliments et vérifié leurs effets sur les bouffées de chaleur associées à la ménopause. D'autres ont évalué les quantités requises de calcium et des autres éléments nutritifs pour maintenir la santé osseuse et lutter contre l'ostéoporose. Les antioxydants présents dans les aliments et les suppléments ont également fait l'objet de nombreuses études. Toutes ces recherches m'ont permis de développer une approche nutritionnelle plus intéressante que jamais, une alimentation gagnante sur tous les plans!

Ayant appliqué ces connaissances à ma clinique de nutrition et dans ma propre vie, je suis devenue profondément convaincue qu'il est possible d'alléger certains malaises de la ménopause en mangeant les bons aliments au bon moment et qu'il est également possible de saisir la ménopause comme une occasion exceptionnelle pour changer certaines habitudes de vie, cultiver sa santé et ainsi se préparer à être de belles vieilles en santé! Voyant que des mesures alimentaires pouvaient faire la différence, qu'elles étaient à la portée de toutes les femmes, mais qu'elles n'étaient pas suffisamment connues, j'ai eu le goût d'écrire ce livre.

J'apporte donc une information nouvelle en matière de nutrition pour soulager les bouffées de chaleur, retrouver une meilleure énergie, diminuer les ballonnements, contrôler le poids et pour réduire les risques de problèmes cardiovasculaires, d'ostéoporose et de cancer du sein. Ces informations peuvent s'ajouter aux autres que vous possédez déjà et vous aider à mieux vivre cette étape de vie. Par ailleurs, j'aurais aimé aborder toutes les questions qui vous préoccupent à la ménopause, y compris l'irritabilité, les pertes de mémoire, les problèmes de sommeil et les changements sexuels, mais elles ne relèvent pas de mes compétences.

Je ne plaide ni pour, ni contre les hormones de remplacement. Je mets l'accent sur une approche alimentaire adaptée à la ménopause. Je la considère complémentaire aux hormones, si vous avez décidé d'en prendre.

Je conçois la ménopause comme un phénomène normal et naturel qui arrive dans la vie de toutes les femmes et non comme une maladie ou un problème de déficience.

Après avoir ratissé la littérature médicale récente, je comprends mieux le mécanisme d'action et l'impact des hormones de remplacement ou hormonothérapie. J'admets volontiers que certaines femmes doivent ou veulent y avoir recours pour diverses raisons. Je reçois à ma clinique de nutrition des femmes qui prennent des hormones et qui sont en excellente forme; j'en vois d'autres qui en ont pris, qui ont mal réagi et qui ont dû cesser d'en prendre. D'autres encore sont dans une forme resplendissante, mais ne peuvent ni ne veulent en prendre pour aucune considération. Je considère maintenant l'hormonothérapie comme un choix personnel et, dans certains cas, comme une question de santé.

Je réagis toutefois assez vivement lorsque je lis ou que j'entends les promesses faites aux femmes concernant certains bénéfices de l'hormonothérapie, car l'information est rarement juste et complète. Les recherches se poursuivent toujours en ce qui a trait à ces bénéfices, et toutes les réponses ne sont pas encore connues, de l'aveu même des grands chercheurs dans le domaine.

Je ne peux nier qu'il y a autant de ménopauses que de femmes à la ménopause. Pas une femme ne traverse cette étape de vie tout à fait de la même manière. En revanche, je sais que vous devez toutes manger trois fois par jour. Une alimentation mieux adaptée à vos besoins et à vos vulnérabilités physiques ne peut que vous aider.

J'ai vécu pour ma part une ménopause sans histoire. J'ai une bonne hérédité et j'ai choisi de ne pas prendre d'hormones parce que j'avais le goût de vieillir grâce à mes propres moyens.

Bien sûr qu'à la ménopause, on parle de prévention. Prévention des maladies cardiovasculaires, prévention de l'ostéoporose, prévention du cancer du sein. C'est important et j'y crois, mais ce n'est pas ma principale motivation pour protéger ma santé et vous aider à protéger la vôtre. C'est une question de prudence et de sagesse, soit, mais c'est avant tout une question d'amour.

Je considère la santé comme un de nos biens les plus précieux. Mais, je ne la tiens pas pour acquise. Je la traite comme une valeur presque irremplaçable; je la dorlote, la cultive et la protège pour en tirer le plus de bénéfice le plus longtemps possible.

Je sais que de saines habitudes de vie, une alimentation adaptée à mon style de vie et une activité physique régulière sont des outils à ma disposition. Ce n'est pas la peur des maladies qui me motive. C'est le goût de croquer dans les plus beaux moments de la vie très longtemps encore. Mieux vivre ma ménopause, vieillir en santé, c'est en fait prendre soin de ce que j'aime être.

C'est dans cet esprit que j'ai écrit ce livre. C'est ce que je vous souhaite d'y découvrir.

CHAPITRE PREMIER

Sommes-nous prêtes à vieillir en santé?

La ménopause passe rarement inaperçue, que ce soit dans notre corps, dans notre tête, dans notre cœur ou devant notre miroir. C'est une étape normale dans la vie de toutes les femmes, une transition hormonale qui affecte tout notre être. Pourquoi ne pas saisir cette occasion pour repenser à sa santé, son style de vie et son alimentation, bref, redéfinir ce que nous voulons devenir. Chose certaine, nous désirons toutes conserver notre bonne santé le plus longtemps possible.

La ménopause ne constitue qu'une étape dans le long processus du vieillissement, mais elle nous incite à y réfléchir un peu plus qu'à 30 ans. Certains jours, je me demande s'il est permis de vieillir dans notre société où le culte de la jeunesse bat son plein. Je vois autour de moi des femmes qui luttent ardemment contre le vieillissement, les bourrelets, l'affaissement de la peau, les cheveux blancs et les rides, grâce à tout un arsenal qui n'existait pas autrefois. Je respecte leur choix, mais je ne peux m'empêcher d'admirer celles qui, à contre-courant, acceptent de vieillir au naturel ou presque...

«Ce ne sont pas les rides que les gens regardent chez une femme, mais le charme qu'elle dégage. Il faut vraiment que les femmes soient plus généreuses avec elles-mêmes et avec les autres, et qu'elles apprennent à s'aimer», soulignait une superbe comédienne dans la soixantaine en réponse à une question sur la chirurgie esthétique.

Alors que le modèle de la femme *jeune* monopolise les regards et les esprits, il semble opportun de redéfinir la beauté du deuxième et du troisième âges, question de nous aider à aborder plus sereinement la cinquantaine et la soixantaine.

«Une femme parvenue à maturité, dans la force de l'âge, portant un regard lucide, voire un peu ironique sur le monde et ses semblables, que la vie a marquée, éprouvée, souvent trahie, mais qui n'a pas perdu pour autant sa foi en elle, est combien plus fascinante, plus admirable qu'une jeune femme sans histoire», ai-je lu un jour, et je ne l'ai jamais oublié.

Lorsque j'ai donné mes premiers ateliers sur la ménopause il y a près de 15 ans, je me suis retrouvée entourée de femmes élégantes et coquettes qui avaient l'air jeunes et dynamiques, mais qui vivaient des ennuis reliés à la ménopause. J'ai été quelque peu surprise par leur belle allure, car je m'étais fait une tout autre idée d'une femme à la ménopause... Depuis, mes idées se sont bien réajustées à la réalité, et pour cause...

Une femme à la ménopause est encore jeune, même si elle vieillit un peu..., mais qui ne vieillit pas?

«La jeunesse n'est pas une période de la vie, c'est un état d'esprit, un effet de la volonté, une qualité de l'imagination, une intensité émotive...

«On devient vieux lorsqu'on a déserté son idéal.»

Douglas MacArthur (1880-1964)

Le vieillissement n'est plus ce qu'il était

Autrefois, le vieillissement saupoudrait la vie d'une poussière très fine qui s'accumulait avec les années et qui isolait graduellement la personne âgée du reste du monde. Le tout se vivait presque passivement. Aujourd'hui, les 75 ans et plus ne sont pas des personnes âgées isolées et passives. Plusieurs conservent des activités sociales et intellectuelles et contribuent au mieux-être de la collectivité. Certaines voyagent, font du ski, du jardinage, pratiquent le golf et la natation. Elles prennent les moyens pour rester en forme et participent activement à leur mieux-être. Elles sont devenues les nouveaux modèles du troisième âge.

Dans le *New England Journal of Medicine,* livraison d'avril 1998, on rapporte les résultats d'une étude menée auprès de 1700 individus enrôlés dès leur quarantaine et qui ont été suivis pendant 36 ans. Les auteurs de cette recherche concluent que les non-fumeurs, les personnes qui ont maintenu un poids normal et qui ont fait régulièrement de l'exercice vivent plus longtemps en bonne santé que ceux qui ont de moins bonnes habitudes de vie.

Contrairement à la recherche d'une jeunesse et d'une beauté éternelles, le maintien d'une belle qualité de vie à long terme est ce qui me motive et ce qui demeure le grand objectif de l'approche nutritionnelle à la ménopause.

La ménopause, plus drôle qu'on ne le croit

La ménopause est récemment sortie du tiroir des tabous. On en parle en public, entre amis. On s'interroge, on fait des blagues sur le sujet! Bien sûr qu'elle apporte avec elle quelques malaises, mais elle laisse rarement des séquelles, au contraire. Une étude menée en Californie auprès de 600 femmes de 50 à 89 ans a révélé que 55 % d'entre elles ont dit avoir trouvé la vie plus belle à la ménopause; 57 % étaient plus joyeuses qu'avant, malgré les bouffées de chaleur, le gain de poids, les sueurs nocturnes, la fatigue, l'insomnie et l'irritabilité. Seulement une femme sur dix a admis ne pas aimer se voir vieillir.

Un sondage mené à l'été 1997 par la North American Menopause Society auprès de 750 femmes de 45 à 60 ans a également dévoilé qu'une majorité de femmes considèrent la ménopause comme le point de départ d'une nouvelle vie bien remplie. Seulement 11 % des femmes y voient une expérience négative.

La ménopause est un point tournant qui n'est pas toujours facile à vivre, mais comparativement à l'adolescence, c'est le paradis!

De fait, plusieurs femmes se redécouvrent plus fortes sur les plans émotif, spirituel et physique. Elles se sentent en pleine possession de leurs moyens. Certaines coupent le superflu, vont à l'essentiel et repartent enrichies de cette période de turbulence hormonale. «C'est dans la turbulence qu'il se passe des choses intéressantes», nous dit Michel Serres, philosophe français bien connu.

Profitez de la ménopause pour faire le ménage de vos idées, de vos sentiments. Tentez d'amorcer quelques changements dans votre routine, votre emploi du temps, vos méthodes de travail et vos loisirs. Vous avez l'excuse parfaite! Vous apprenez à vieillir en santé.

Pour ma part, j'avais presque hâte de vivre ma ménopause pour vérifier ce que j'avais lu et entendu. J'en ai profité pour apporter des changements importants dans ma vie. J'ai trouvé du temps pour faire autre chose que travailler. Moi qui n'avais pratiqué aucun sport avant 45 ans, j'ai mis mes os et mes muscles au défi et j'ai pris confiance en mes forces physiques. Je fais maintenant du ski, du tennis, de la randonnée pédestre et j'y trouve un grand plaisir! J'essaie de savourer les bons moments de la vie, car la perte d'amis du même âge m'a fait réfléchir sur la finitude de ce voyage terrestre.

Je suis devenue grand-mère de deux petits-fils et je ne croyais pas pouvoir vivre un amour aussi fou!

Une nouvelle approche alimentaire

Une alimentation saine et variée fait partie depuis belle lurette des outils reconnus pour conserver sa santé. Une alimentation adaptée à la ménopause constitue un nouvel outil, moins connu mais très prometteur. En effet, parmi les recherches les plus récentes, on découvre que certains aliments peuvent soulager des malaises associés à la ménopause et que d'autres peuvent diminuer les risques de maladies à plus long terme. On ne peut donc plus ignorer cette nouvelle avenue alimentaire.

Vous connaissez sûrement le lien entre la calcium et la santé des os, mais l'histoire est beaucoup plus complexe que ça. Plutôt que de considérer le calcium comme seul élément indispensable, les recherches actuelles mettent l'accent sur des éléments nutritifs complémentaires pouvant aider ou nuire à la densité osseuse.

Vous avez peut-être entendu parler des hormones dans certains aliments comme le soya. Alors là, vous allez découvrir les nombreux avantages d'une consommation régulière de ces hormones que l'on appelle des phytoestrogènes ou œstrogènes provenant des plantes.

Avez-vous tenté une fois de plus et sans succès de perdre du poids? Vous allez mieux comprendre ce qui se passe à la ménopause et ce qu'il faut manger pour éviter les fausses manœuvres.

Avez-vous l'impression d'avoir laissé votre énergie dans le vestiaire de vos 30 ans? Vous pouvez en retrouver en adoptant une routine alimentaire gagnante.

Vous allez faire la connaissance du boron et d'autres aliments qui aident ou qui nuisent à la circulation des hormones.

Êtes-vous bien certaine de choisir les aliments qui font baisser le mauvais cholestérol (LDL), tout en augmentant le bon (HDL) dans le but de réduire les risques de maladies cardiovasculaires?

Faites-vous un choix judicieux d'antioxydants dans vos aliments ou dans des suppléments pour retarder le processus de vieillissement?

En rehaussant la valeur nutritive de vos choix alimentaires et de votre menu, vous allez retrouver plus d'énergie, diminuer vos bouffées de chaleur, protéger vos os et vos artères et maintenir un poids plus stable.

Une assiette mieux remplie peut vous aider à mieux vivre votre ménopause et à vieillir en santé!

La situation actuelle

Les recherches qui s'intéressent aux femmes en préménopause ou en postménopause sont de plus en plus nombreuses, mais la majorité d'entre elles se sont attardées sur l'effet des hormones de remplacement. Très peu d'études ont évalué l'aspect nutritionnel de la question.

Ce que nous savons par la bande, c'est que les femmes n'arrivent pas toujours bien nourries à la ménopause.

• L'obsession de la minceur persiste ainsi que ses effets pervers. On dirait parfois que la situation s'aggrave. Que penser de ces femmes qui ont pris des coupe-faim à la mode (la fenfluramine ou la dexfenfluramine) et dont 30 % se sont réveillées avec une rare malformation d'une valve cardiaque? Sans être aussi dommageable, que deviennent les femmes qui ont suivi tous les régimes amaigrissants sur le marché et qui ne sont jamais parvenues à atteindre un poids santé, bien au contraire?

• Sans avoir nécessairement de lien avec ce qui précède, plusieurs femmes prennent du poids avec l'âge, même si elles mangent de moins en moins.

• Même si la consommation de gras a diminué depuis quelques années, la consommation de gras hydrogénés demeure encore trop importante. Un apport quotidien de plus de 2 grammes de ce type de gras augmente de 21 % le risque de maladies cardiovasculaires chez la femme (voir Tableau 1, page 19). La consommation importante de gras saturé (viandes et fromages) ajoute un autre élément de risque.

• La consommation d'aliments riches en calcium est insuffisante dès l'adolescence. De plus, au lieu d'augmenter avec les années comme le recommandent les experts, elle régresse. L'apport de vitamine D et d'autres minéraux fait également défaut et nuit à la santé des os.

• La répartition des protéines alimentaires dans la journée est nettement inadéquate chez un grand nombre de femmes. La quasi-absence de protéines aux repas du matin et du midi expliquent plusieurs moments de grande lassitude en fin de matinée et vers seize heures; elle est à l'origine de nombreuses rages de sucre.

• La consommation d'aliments riches en zinc, en magnésium, en vitamine B6 et en acide folique ne rejoint pas les niveaux souhaitables et peut même nuire aux systèmes nerveux et cardiovasculaire.

• Le manque de fibres alimentaires demeure flagrant et peut expliquer les problèmes de constipation et de diverticules plus fréquents à la ménopause.

• La faible consommation de fruits et légumes riches en potassium et en magnésium ne peut alléger les problèmes d'hypertension qui se manifestent fréquemment après 50 ans.

Ces écarts alimentaires, sans être dramatiques, n'aident pas à vivre une ménopause sans malaise. Au contraire, ils sont complices de problèmes comme l'hypoglycémie, le diabète, la résistance à l'insuline, le ralentissement de la glande thyroïde, l'augmentation du mauvais cholestérol (LDL) et la diminution du bon (HDL).

Tableau 1
Aliments riches en acides gras trans*

Aliment	Portion	Gras trans (g)
Croustilles de pommes de terre	1 petit sac	7,0 à 9,0
Croustilles de maïs	1 petit sac	5,7 à 6,5
Margarines hydrogénées	15 ml (14 g)	3,0 à 6,0
Beigne	1	2,8 à 3,3
Shortening	15 ml (1 c. à soupe)	2,2 à 2,6
Frites	petite portion	1,3 à 1,7
Muffin commercialisé	1	1,1 à 1,7
Gâteau	une part	1,0 à 3,0
Certains chocolats	une tablette	0,9
Croûte de pizza	petite	0,6 à 0,8
Craquelin	1	0,4 à 1,0
Biscuit	1	0,3 à 2,0
Certaines céréales	un bol	0,2 à 0,7

* Les acides gras *trans* se retrouvent dans les gras hydrogénés.

Si vous souhaitez vivre plus facilement votre ménopause et si vous désirez vieillir en santé, vous pouvez modifier certaines de vos habitudes alimentaires. Vos efforts porteront fruit, car il n'est jamais trop tard pour bien faire!

CHAPITRE 2

Qu'arrive-t-il à notre tour de taille?

À la ménopause, presque toutes les femmes du monde prennent un peu de poids qu'elles soient Italiennes, Mexicaines, New-Yorkaises ou Montréalaises. Plein épanouissement du mitan de la vie ou rondeurs nouvelles, ce gain de poids généralisé n'est guère bien accueilli.

Plutôt que de pleurer, contester ou encore cesser de manger, mieux vaut chercher à comprendre ce qui se passe et minimiser les dégâts sur tous les plans.

Vous n'êtes pas la seule. Un sondage mené au Québec par la revue *Une véritable amie* a révélé que près de 75 % des 465 femmes participantes (âgées de 50 à 65 ans) avaient pris du poids aux alentours de la ménopause et que le gain de poids moyen se situait entre 5,5 et 6,8 kg (12 et 15 lb). Toutes les études de population faites tant au Canada qu'aux États-Unis au cours des cinquante dernières années soulignent l'augmentation graduelle du poids chez la femme entre 25 et 65 ans. Le gain de poids le plus brusque survient habituellement entre 45 et 55 ans.

UN CHANGEMENT DE FORME...

Le corps féminin change intérieurement et extérieurement avec les années, même si le poids demeure relativement stable. Par exemple, une femme de 60 ans qui a pesé le même poids toute sa vie adulte n'a pas la même musculature ni la même ossature qu'elle avait à 30 ans. Elle a peut-être le même poids sur le pèse-personne, ce qui est toutefois exceptionnel, mais elle n'a pas la même composition corporelle, ce qui est tout à fait normal.

Pour illustrer le phénomène, une femme d'affaires fort élégante et âgée de 62 ans me disait l'automne dernier ne pas avoir pris une once depuis l'âge de 20 ans. Elle ajoutait par contre que sa taille était passée de 56 à 70 cm (22 à 27 po) et qu'elle n'avait plus la même forme.

De façon générale, une femme qui a atteint la quarantaine subit une perte musculaire d'environ 0,5 kg (env. 1 lb) en 3 ans. Pour la période de la préménopause à la postménopause, la perte est un peu plus marquée et se chiffre à environ 3 kg (6½ lb).

Du côté osseux, c'est un peu le même scénario, c'est-à-dire une perte d'environ 1 % par année dès l'âge de 30 ans et pendant la période de la ménopause, une perte de 3 à 5 % par an. Au cours de la sixième et septième décennie, la perte ralentit et peut varier de 0,5 à 1 % par année (voir Chapitre 7).

Un gain à la ceinture

À la cinquantaine, l'excès de poids ne loge plus aux mêmes endroits et n'a plus les mêmes répercussions sur la santé.

Lorsque vous étiez jeune et que vous preniez du poids, le surplus de gras se logeait autour de vos hanches et de vos cuisses. Cette sorte de gras était relativement inerte, difficile à perdre, mais présentait peu de conséquences sur la santé.

La femme qui prend du poids à la ménopause fait des réserves autour de la taille et du ventre. Ses nouvelles réserves sont plus actives, plus mobiles; elles circulent tout près du foie et du pancréas, augmentent les risques de diabète et peuvent provoquer une augmentation du mauvais cholestérol et des triglycérides.

Bien entendu, un gain d'à peine quelques kilos ne change pas grand-chose, surtout si le poids se maintient à l'intérieur du poids santé (voir Tableau 2, page 36). Au poids santé correspond un indice de masse corporelle (IMC) qui se situe entre 20 et 25 et qui est associé à un faible risque de maladies.

Si vous mesurez, par exemple, 1,6 m (5 pi 3 po) et que votre poids à 35 ans était de 55 kg (120 lb), vous aviez un IMC de **21**. À 50 ans, vous pesez 61 kg (135 lb) et vous avez un IMC de **24**. Comme vous pouvez le constater, les deux IMC **21** et **24** se situent dans les limites du poids santé et n'augmentent pas vos risques de maladies.

Lorsque l'indice IMC dépasse **26**, le dossier se détériore, car plus il y a de gras qui s'accumule à la ceinture, plus les risques de développer un diabète et un problème cardiovasculaire augmentent. L'équipe du Dr Claude Bouchard de l'Université Laval a fouillé la question de long en large et arrive à la conclusion que les risques de maladies augmentent lorsque le tour de taille dépasse 85 cm (33 po); ces chercheurs vont même jusqu'à souhaiter un tour de taille qui ne dépasse pas 75 cm (29 po) à la ménopause afin d'abaisser davantage les risques.

J'ai moi-même pris 2 à 3 kg (4½ à 6½ lb) depuis cinq ans et ces kilos additionnels se logent juste sous le dernier bouton du blazer. Je suis devenue une experte pour découdre les tailles devenues trop serrées ou replacer les boutons de veston! Je recherche les vêtements qui laissent ma taille respirer et j'ai tendance à acheter plus grand que trop ajusté! Vaut mieux prévenir que découdre...

UNE QUESTION D'ALIMENTATION OU DE STRESS?

Le gain de poids à la ménopause n'est pas toujours simple à expliquer. Contrairement à ce que l'on peut penser, les femmes qui avancent en âge mangent de moins en moins; toutes les enquêtes nutritionnelles l'ont noté. D'autres recherches concluent que la quantité de gras consommé n'est pas nécessairement proportionnelle à l'épaississement de la taille. Le fameux gain de poids du mitan de la vie ne s'explique donc pas par des abus alimentaires, au contraire. D'ailleurs, quelques chercheurs pointent du doigt le stress qui peut accélérer les dépôts de gras intra-abdominal. Or, plusieurs femmes vivent des changements de vie qui surviennent à la ménopause et qui augmentent le stress.

Le ralentissement du métabolisme

La baisse des œstrogènes qui survient à la ménopause a pour effet de ralentir le métabolisme qui a pour fonction de brûler une certaine quantité de calories tous les jours. Cette perte de vitesse se fait graduellement dès la trentaine, mais chute brusquement lorsque la baisse d'œstrogènes se fait sentir. Or, moins le métabolisme peut brûler de calories en 24 heures, plus le gain de poids est probable.

L'activité physique peut contrebalancer cette baisse; elle augmente la masse musculaire qui brûle plus de calories que le tissu gras. Or, trop de femmes l'ignorent, puisqu'elles accrochent leurs patins et rangent leurs skis ainsi que leur raquette de tennis lorsqu'elles atteignent la cinquantaine. Ce faisant, et sans s'en rendre compte, elles contribuent à diminuer leur capacité de brûler des calories.

De plus, trop de femmes sautent des repas sans se méfier des effets secondaires de cette pratique sur le métabolisme. Elles se jouent un bien vilain tour, car le métabolisme interprète toujours l'absence d'aliments pendant plusieurs heures comme une période de famine et il réagit en ralentissant la combustion des calories. Les dégâts sont particulièrement visibles dans les années qui précèdent l'arrêt complet des menstruations.

Les régimes amaigrissants affectent, eux aussi, et à coup sûr le fonctionnement du métabolisme: plus le régime est strict, plus le ralentissement se fait sentir. Plus il y a de régimes, moins le métabolisme réussit à brûler un nombre adéquat de calories au point que certaines femmes ayant suivi plusieurs régimes et ayant négligé l'exercice physique ne peuvent plus rien manger ou presque sans gagner de poids, lorsqu'elles arrivent à la ménopause.

Comme cette question du métabolisme est souvent mal comprise, voici en résumé de quoi il s'agit.
Le métabolisme gère la transformation des calories en énergie. Il brûle régulièrement une certaine quantité de calories toutes les 24 heures de façon à maintenir en branle toutes les fonctions du corps humain.
Lorsqu'il reçoit moins de calories à brûler ou lorsque vous sautez un repas, il se met en mode d'économie d'énergie, maintient les mêmes fonctions avec moins de carburant. Il s'adapte merveilleusement bien et nous permet de survivre à une famine ou à un régime faible en calories. En revanche, il lutte contre un amaigrissement à long terme, car c'est une question de survie.
Après le régime réduit en calories, il a du mal à retrouver sa capacité de combustion d'antan. Il continue de brûler plus lentement et encourage la mise en réserve de gras en prévision de la prochaine famine ou du prochain régime.
C'est ce qui explique la fameuse reprise de poids dans les mois ou les années qui suivent un régime.

Un changement de vie?

D'autres raisons qui n'ont rien à voir avec le changement hormonal peuvent survenir à la ménopause et expliquer un gain de poids. Par exemple, l'arrivée dans votre vie d'un partenaire assez gourmand peut drôlement bouleverser vos habitudes alimentaires. Un nouveau travail qui exige moins d'efforts physiques ou encore une préretraite qui ralentit votre routine peuvent affecter votre dépense d'énergie. Vous avez un mal de dos chronique ou un mal de pied qui vous empêche de faire de l'exercice. Vous avez cessé de fumer et avez gagné 4,5 à 6,6 kg (10 à 15 lb) sans avoir mangé plus qu'avant. Vous voyez comme de simples changements de vie peuvent expliquer un gain de poids.

UN BONI BEAUTÉ ET UN BONI SANTÉ

Le gain de poids à la ménopause n'est pas toujours nuisible ou inutile. Regardez autour de vous les femmes qui vieillissent bien. Elles ont bonne mine, un visage un peu rond, de belles joues et une peau assez lisse. Regardez maintenant l'impact d'une perte de poids sur le visage d'une femme de 60 ans. Vous conviendrez avec moi qu'un visage maigre vieillit moins bien qu'un visage rond. On peut même dire qu'à la ménopause, une perte de poids donne un coup de vieux, alors qu'un gain de poids rajeunit!

Côté boni santé, le tissu gras acquis à la ménopause favorise la transformation d'une autre hormone sexuelle: l'androstendione. Cette hormone produite par les grandes surrénales se transforme en œstrogènes dans le tissu gras et joue un rôle hormonal d'appoint, circule partout et soulage certains malaises. Ainsi, plus il y a de tissu gras, plus il y a d'œstrogènes d'appoint en circulation après la ménopause. Cette dose additionnelle de gras et d'œstrogènes rend service à l'ossature et explique pourquoi les femmes grasses font moins de fractures que les minces.

À l'hôpital universitaire de Toulouse, on a suivi pendant 40 mois une cinquantaine de femmes de poids normal, ménopausées depuis moins de cinq ans. Les chercheurs qui surveillaient la densité osseuse de ces femmes ont noté un lien significatif entre le gain de poids et la rétention osseuse; les femmes qui avaient pris plus de 1 kg (2¹/₄ lb) avaient une perte osseuse deux fois moins importante que celles qui n'avaient pas pris de poids.

On comprend maintenant pourquoi les chercheurs en ostéoporose souhaitent voir toutes les femmes arrondir un peu. Ils savent qu'un poids plus élevé offre une plus grande protection contre les fractures, alors qu'un poids plume augmente les risques d'ostéoporose.

Une étude du National Institute on Aging menée auprès de 3700 femmes et publiée en 1996 a noté que les femmes qui perdaient de 5 à 10 % de leur poids après 50 ans voyaient leur risque de fracture de la hanche significativement augmenter. Ainsi, les chercheurs ont observé qu'une femme de 50 ans *ayant un poids santé* et qui perd 10 % de son poids voit doubler ses risques d'avoir une fracture de la hanche. Par exemple, une femme de 55 ans qui pèse 59 kg (130 lb) et qui a un IMC de **22** (poids santé) augmente ses risques de fractures si elle perd 5,8 kg (13 lb) ou davantage. De fait, lorsqu'elle perd du poids, elle perd aussi du muscle et du tissu gras; elle a moins d'œstrogènes qui circulent et moins de coussins protecteurs autour des hanches. Bien entendu, la femme grasse qui perd quelques kilos ne court pas les mêmes risques que la femme mince.

Certains gérontologues se sont aussi attardés à l'impact du gain et/ou de la perte de poids pendant toute la vie adulte. Parmi eux, le Dr Andres du National Institutes of Health des États-Unis a revu à la loupe 13 grandes recherches sur la longévité de différentes populations. Contrairement à ce que l'on pense, il a conclu que les personnes qui prennent du poids au cours de leur vie adulte vivent généralement plus vieilles que celles qui maintiennent le même poids ou en perdent.

Cela dit, le gain de poids n'est pas obligatoire et le maintien d'un poids santé semble toujours avantageux. Par contre, l'amaigrissement à tout prix n'est pas conseillé, surtout si votre poids se situe déjà à l'intérieur du poids santé.

Toutefois, même si les femmes qui demeurent minces après la ménopause sont plus vulnérables aux fractures, elles demeurent moins sujettes au diabète, aux maladies cardiovasculaires et au cancer du sein, ce qui n'est pas à dédaigner. De plus, elles n'ont pas à changer leur garde-robe!

Un peu ronde ou plutôt mince, il est quand même possible de vieillir en santé!

L'effet des hormones

Le débat ne sera jamais clos, mais les résultats des récentes recherches démontrent qu'il n'y a pas de différence significative entre le gain de poids des femmes qui prennent des hormones et celles qui n'en prennent pas.

L'équipe du Dr Aloia de l'hôpital universitaire Winthrop a suivi 118 femmes âgées de 50 à 55 ans pendant 3 ans. Un premier groupe de femmes servait de groupe témoin, alors qu'un deuxième prenait un supplément de calcium et un troisième un supplément de calcium et une hormonothérapie. Chaque année, les chercheurs ont mesuré le tissu gras, le tissu musculaire et la densité osseuse de ces femmes. À la fin des trois ans, ils ont noté un gain de poids plus marqué chez les femmes qui recevaient une hormonothérapie, mais toutes les femmes avaient gagné un peu de gras et perdu un peu de muscle.

À la clinique de ménopause de l'hôpital universitaire de Jérusalem, l'équipe du Dr Reubinoff a vérifié l'impact de l'hormonothérapie sur le poids de femmes nouvellement ménopausées. La recherche portait sur 63 femmes de 44 à 54 ans suivies pendant 1 an; la moitié d'entre elles prenait une hormonothérapie et l'autre moitié servait de groupe témoin. Toutes les femmes ont gagné de 1,5 à 2 kg (3¼ à 4½ lb).

Une autre étude menée en Italie a examiné le poids, la distribution du gras et l'état hormonal de 600 femmes âgées de 45 à 65 ans. Les chercheurs ont noté que les femmes post-ménopausées pesaient significativement plus que les préménopausées. Ils ont observé que le gain de poids se faisait progressivement et qu'il n'y avait aucune différence entre les femmes qui prenaient une hormonothérapie et les autres.

La fameuse étude PEPI (Postmenopausal Estrogen/Progestin Interventions), abondamment citée dans la littérature scientifique, a suivi pendant 3 ans 875 femmes divisées en cinq groupes: un premier groupe ne recevait aucune hormone, alors que les 4 autres groupes en recevaient, seuls les dosages différaient. L'étude fournit les résultats suivants:

- la moitié des femmes prenant ou ne prenant pas d'hormones ont pris moins de 2,5 kg (5½ lb);
- 19 % des femmes prenant des hormones et 18 % des femmes ne prenant pas d'hormones ont gagné de 2,5 à 4,9 kg (5½ à 11 lb);
- 12 % des femmes prenant des hormones et 26 % des femmes ne prenant pas d'hormones ont pris plus de 5 kg (11 lb);
- les fumeuses qui prenaient les hormones ont pris 1 kg (2¼ lb) de plus que les fumeuses qui n'en prenaient pas;
- les femmes très actives physiquement, mais ne prenant pas d'hormones ont perdu 0,7 kg (1½ lb), alors que des femmes elles

aussi très actives, mais prenant des hormones ont pris 0,9 kg (2 lb).

À ma clinique, plusieurs femmes se plaignent d'un gain de poids à la suite de la prise d'hormones; certaines cessent même d'en prendre pour perdre quelques kilos. Avant d'adopter cette façon de faire, il existe des approches plus douces pour retrouver un équilibre alimentaire.

Quelques pistes de solution

Les femmes ne veulent plus de diètes amaigrissantes. Elles n'ont plus le goût du jeûne ou du calcul des calories.

Je recevais l'autre jour à ma clinique une femme qui me disait avoir ruiné 30 années de sa vie à vouloir maigrir. Elle n'est pas seule à avoir vécu un tel cauchemar. Elle refuse maintenant de calculer des calories et de se coucher affamée, mais elle veut retrouver un meilleur équilibre alimentaire!

Bravo pour cette modification d'attitude! Mes suggestions vont lui faire plaisir, car elles riment tout simplement avec une autre façon de manger qui convient mieux en cette période de changement hormonal.

1. Adoptez une approche antirégime

Si vous avez gagné un peu de poids depuis quelques années, sachez que les quelques années qui précèdent ou qui suivent l'arrêt des menstruations sont les moins favorables à une perte de poids, plusieurs études le confirment. Avec quelques efforts, vous perdiez avant et vous ne perdez plus. Votre corps se réorganise en fonction de la transition hormonale et semble résister à tout effort d'amaigrissement. Alors, que faire?

- Si votre poids se situe encore dans les limites du poids santé (voir Tableau 2, page 36), mieux vaut conserver quelques petits kilos additionnels et avoir l'air en bonne forme plutôt que de vous priver indûment et prendre un coup de vieux.
- Si votre poids dépasse largement les limites du poids santé et ce, depuis quelques années, ne vous lancez pas dans un autre

régime. Repensez votre stratégie; plutôt que de jeûner sans vraiment perdre, tentez de freiner le gain. Votre corps répondra mieux dans quelques années.

L'approche antirégime n'est toutefois pas une invitation à manger n'importe quoi en n'importe quelle quantité. C'est simplement un encouragement à oublier le calcul des calories et le pèse-personne.

Remplissez votre assiette d'aliments riches en minéraux, en fibres et en vitamines, ceux qui vous aident à vivre une belle ménopause. Vous verrez. Le résultat peut vous étonner.

Une étude menée en Italie en 1996 pour réduire les facteurs de risque du cancer du sein a démontré qu'il est possible d'obtenir une perte de poids sans imposer un calcul de calories. Les chercheurs ont recruté une centaine de femmes âgées de 50 à 65 ans et ont demandé à la moitié d'entre elles de manger régulièrement du soya, des graines de lin, des noix, des légumes verts feuillus et des crucifères, des petits fruits, des produits céréaliers entiers et du poisson. Ils leur ont aussi demandé de diminuer leur consommation de viande, de fromage, de sucreries et d'aliments raffinés, mais ils n'ont donné aucune restriction quant aux quantités à manger. Les 50 autres femmes servaient de groupe témoin et n'ont apporté aucun changement à leur alimentation.

Après six mois, les 50 premières femmes qui avaient mangé à leur faim plus de légumes, plus de fruits, plus de grains entiers, de noix, de soya... avaient perdu 3,8 cm (1½ po) à la ceinture et plus de 4 kg (8¾ lb) en plus d'avoir vu diminuer leur cholestérol, leur sucre sanguin et leurs risques de cancer. Les autres, qui n'avaient fait aucun changement alimentaire, n'avaient ni perdu de poids, ni vu diminuer les autres facteurs de risque.

Cela n'est qu'un exemple. Je pourrais multiplier les exemples par le nombre de femmes que je vois en clinique et qui ont obtenu des résultats semblables en mangeant de cette façon.

2. Évitez le piège des aliments sans gras

Vous avez la manie de choisir des aliments sans gras comme une vinaigrette sans gras, un fromage sans gras, une crème glacée sans gras ou des biscuits sans gras, vous n'êtes pas la seule. Cette tendance typiquement américaine est devenue contagieuse et a vite traversé la frontière. Malheureusement, elle ne donne pas les résultats escomptés: les Américains mangent 11 % moins de gras qu'il y a 20 ans, absorbent 4 % moins de calories, consomment une tonne d'aliments diète et ont vu leur incidence d'obésité augmenter de 31 % depuis 1976 selon un rapport publié dans l'*American Journal of Medicine* en 1997. On qualifie le phénomène de paradoxe américain.

Vous pouvez éviter ce piège en choisissant de bons gras comme l'huile d'olive ou l'huile de canola pour vos vinaigrettes, ou encore des noix comme collation; n'encouragez toutefois pas les fritures ni les aliments riches en gras hydrogénés (voir Tableau 1, page 19).

3. Augmentez votre consommation de légumes

Si vous êtes dans la bonne moyenne des femmes d'ici, vous négligez trop souvent les légumes. Vous réussissez peut-être à en manger deux portions par jour, mais ce n'est pas suffisant.

Une étude épidémiologique menée aux États-Unis sur une période de 10 ans auprès de 80 000 individus de 40 à 54 ans a voulu cerner les causes de la prise de poids généralisée au mitan de la vie. Les chercheurs ont tenu compte de toutes les habitudes de vie des individus, y compris le statut marital, l'éducation, l'utilisation de suppléments de vitamines, la cigarette et l'alcool. Ils sont arrivés à la conclusion que les 25 000 individus qui avaient pris le moins de poids étaient ceux qui consommaient plus de légumes, moins de viande ou qui faisaient régulièrement de l'exercice. Leur consommation de légumes s'élevait en moyenne à plus de 20 portions par semaine, une quantité qui n'est pas énorme, mais qui révèle une alimentation plus saine en général.

À ma clinique, les femmes qui arrivent à manger de quatre à six portions de légumes par jour réussissent à perdre du poids plus facilement que les autres. Les légumes additionnels remplacent d'autres aliments plus riches et fournissent une foule d'éléments nutritifs intéressants.

Si vous n'aimez que les fruits, en consommer en abondance peut sûrement vous aider, mais devrait compléter la consommation de légumes et non la remplacer.

Si vous ne savez par où commencer, faites votre choix parmi les suggestions qui suivent:

• essayez un nouveau légume ou un nouveau fruit chaque semaine;

• doublez vos portions habituelles de légumes;

• ajoutez un fruit frais à vos céréales: une banane, une pomme coupée en morceaux, des raisins verts ou rouges, des fraises ou des bleuets, des mandarines, vous avez le choix;

• préparez des jus pétillants en faisant un mélange d'eau de source gazéifiée et de jus de fruits;

• préparez des sacs de crudités à grignoter nature ou avec des trempettes en cuisinant le repas;

• ajoutez des légumes à votre sauce à spaghetti favorite; des champignons, des poivrons verts ou rouges, du brocoli ou du chou-fleur ou encore des carottes râpées;

• cuisinez de bonnes petites entrées à base de légumes et/ou de fruits: salade d'endives, pomme et noix; salade de carottes et raisins secs; salade d'épinards et mandarines; coquilles de tomates et courgettes aux fines herbes, duo d'avocat et pamplemousse ou encore ratatouille;

• préparez une bonne soupe par semaine avec les légumes de saison: poireaux, champignons, asperges, aubergines, tomates, pois verts, épinards; faites des réserves au congélateur et réchauffez au four à micro-ondes lorsque le cœur vous en dit;

• soyez aventureuse et essayez des verdures moins connues comme la roquette, la bette à carde, le chou cavalier, le chou frisé; vous obtiendrez une quantité appréciable de vitamines et de minéraux.

4. Mangez de plus petits repas

Vous ne le saviez peut-être pas, mais il est plus avantageux de manger plusieurs petits repas dans une journée que d'en manger un seul gros, surtout lorsqu'on avance en âge. Une étude récente a démontré que contrairement aux jeunes femmes qui arrivent à brûler efficacement un repas de 1000 calories, les femmes plus âgées n'ont plus la même capacité. Lorsqu'elles mangent de tels gros repas, elles mettent en réserve le gras qu'elles n'ont pu brûler et elles prennent du poids.

La combustion du gras se fait d'abord dans le tissu musculaire et sert de carburant au moment de l'exercice. Lorsque l'activité physique et la masse musculaire diminuent, les femmes perdent leur capacité de brûler beaucoup de gras au même repas. Souvenez-vous qu'à partir de la quarantaine, les petits repas brûlent mieux que les gros.

5. Ne sautez jamais un repas

Je vois des femmes dans la cinquantaine très préoccupées par un gain de poids qu'elles n'expliquent pas, car elles ne mangent pour ainsi dire que le soir... De fait, elles sautent le petit-déjeuner parce qu'elles n'ont pas faim, sautent le repas du midi, faute de temps, et arrivent en fin de journée affamées; elles dévorent au repas du soir et grignotent jusqu'au coucher. Lorsqu'elles adoptent une routine de trois vrais repas par jour, elles sont agréablement surprises, car elles réussissent à perdre du poids.

Lorsque vous passez plusieurs heures sans manger, vous envoyez un message de famine au métabolisme qui ralentit la combustion des calories et met en branle une opération de mise en réserve. Lorsque vous recommencez à manger régulièrement, vous rétablissez le rythme du métabolisme; le retour se fait plus ou moins rapidement, mais il se fait.

Le secret réside dans l'adoption d'une routine de trois repas par jour. Si vous avez faim et que vous prévoyez un décalage de quelques heures avant le prochain repas, n'hésitez pas à prendre une collation; sinon, le message de famine fait des siennes. Souvenez-vous que les repas sautés ne mènent qu'aux rages!

6. Augmentez votre activité physique

L'exercice physique occupe une place importante dans le maintien du poids et de la santé. Or, la sédentarité devient de plus en plus fréquente à la cinquantaine. L'Institut canadien de la recherche sur la condition physique rapporte qu'au Québec 63 % de la population est inactive. Alors, même si vous avez diminué vos calories, votre poids va continuer d'augmenter si vous ne faites pas plus d'exercice. Pourquoi? Parce que sans activité physique, le métabolisme ralentit et ne peut prévenir la baisse de combustion qui accompagne habituellement le régime amaigrissant et la ménopause. Au contraire, si vous devenez plus active, vous développez votre masse musculaire et augmentez votre capacité de brûler du gras. Vous pouvez manger un peu plus sans prendre de poids. Vous pouvez même perdre quelques centimètres à la ceinture.

Pour vous convaincre davantage, une équipe de chercheurs du Colorado a mesuré la vitesse de métabolisme de 65 femmes en santé ayant un poids stable: des jeunes femmes et des femmes âgées, certaines sédentaires, d'autres très actives. Ils ont noté chez les sédentaires que le métabolisme des femmes ménopausées étaient 10 % plus lent que celui des jeunes. Toutefois, chez les sportives, ils n'ont vu aucune différence entre la vitesse du métabolisme des jeunes et des moins jeunes. Or, plus le métabolisme demeure rapide, plus il y a de tissu musculaire et moins il y a de gain de poids.

L'activité physique peut également prévenir la reprise de poids qui arrive au cours des mois ou des années qui suivent une perte importante. L'équipe de Janice Thompson de l'Université de Caroline-du-Nord a mesuré l'effet de l'activité physique chez des femmes ménopausées désireuses de perdre du poids. Elle a suivi trois groupes de femmes, dont deux n'ont fait que diminuer les calories, alors que le troisième groupe a intégré trois heures de marche par semaine et deux heures de musculation. Au bout de six mois, les trois groupes avaient perdu du poids, mais le troisième groupe avait maintenu un métabolisme plus rapide. De plus, les femmes du troisième groupe qui ont continué le programme d'activité physique après la fin de l'étude ont perdu 1 à 2 kg ($2^1/_4$ à $4^1/_2$ lb) de plus, tandis que les sédentaires ont vite repris $1^1/_2$ kg ($3^1/_4$ lb).

D'autres chercheurs ont déterminé que pour conserver un nouveau poids après la fin d'un régime amaigrissant et pour maintenir la vitesse de combustion du métabolisme, il fallait faire 80 minutes d'exercice modéré par jour ou 35 minutes d'exercice plus violent.

7. Diminuez votre consommation d'alcool et l'usage du tabac, s'il y a lieu

Le gain de poids qui loge à la ceinture augmente les risques de diabète et de mauvais cholestérol et, plus il est abondant, plus les risques augmentent. Les chercheurs de l'équipe du Dr Claude Bouchard de l'Université Laval qui ont étudié la question à fond identifient la consommation d'alcool et la cigarette comme deux éléments nocifs qui affectent ces dépôts de gras de façon plus évidente que le gras consommé dans l'assiette. D'autres chercheurs ont également noté que les fumeuses qui prenaient des hormones de remplacement gagnaient en moyenne 1,1 kg (2½ lb) de plus que celles qui ne prenaient pas d'hormones.

L'alcool et la nicotine n'aident aucune femme à vieillir en santé.

N'oubliez surtout pas qu'il est plus facile de perdre quelques kilos superflus quelques années après l'arrêt complet des menstruations qu'en période de préménopause.

Tableau 2
Le poids santé (IMC)

Poids	en kilogrammes en livres	46 100	48 105	50 110	52 115	55 120	57 125	59 130	61 135	64 140	66 145	68 150	71 155	73 160
Taille en pieds	en mètres													
4 pi 9 po	1,45	22	23	24	25	26	27	28	29	30	31	33	34	35
4 pi 10 po	1,47	21	22	23	24	25	26	27	28	29	31	32	33	34
4 pi 11po	1,50	20	21	22	23	24	25	26	27	28	29	30	31	32
5 pi	1,52	20	21	22	23	24	25	26	27	28	28	30	31	32
5 pi 1 po	1,55	19	20	21	22	23	24	25	26	27	27	28	29	30
5 pi 2 po	1,58	18	19	20	21	22	23	24	25	26	27	28	28	29
5 pi 3 po	1,60	18	19	20	20	21	22	23	24	25	26	27	28	28
5 pi 4 po	1,63	18	18	19	20	21	21	22	23	24	25	26	27	27
5 pi 5 po	1,65		18	18	19	20	21	22	23	23	24	25	26	26
5 pi 6 po	1,68		17	18	19	19	20	21	22	23	24	24	25	26
5 pi 7 po	1,70		17	17	18	19	20	20	22	22	23	24	24	25
5 pi 8 po	1,73			17	18	18	19	20	21	21	22	23	24	24
5 pi 9 po	1,75				17	18	19	19	20	21	22	22	23	24
5 pi 10 po	1,78				17	17	18	19	19	20	21	22	22	23
5 pi 11 po	1,80					17	18	18	19	20	20	21	22	22
6 pi	1,83					16	17	18	18	19	20	20	21	22

Le poids-santé est également appelé indice de la masse corporelle (IMC). La formule se lit comme suit: l'indice de la masse corporelle (IMC) est égal au poids en kilos divisé par la taille en mètres au carré.

Le tableau de la page 36 simplifie le calcul. Il s'agit de:

1. Trouver votre taille dans la colonne de gauche.
2. Suivre la ligne correspondante jusqu'à votre poids inscrit en haut du tableau.
3. Encercler le point de rencontre, qui constitue votre indice.
4. Comparer votre indice avec les données suivantes:
   - un indice qui varie entre 20 et 25 correspond au «poids-santé»;
   - un indice de 26 ou 27 marque la zone intermédiaire que constitue l'embonpoint;
   - un indice qui dépasse 27 rejoint la zone de l'obésité qui accroît les risques de maladies;
   - un indice qui se trouve sous le seuil du chiffre 20 rejoint la zone de maigreur et correspond, lui aussi, à une augmentation de risques de maladies;
   - une femme qui mesure 1 m 65 (5 pieds 5 pouces) et pèse 50 kilos (110 livres) a un indice de 18 et se trouve sous le seuil du poids-santé;
   - une femme qui mesure 1 m 55 (5 pieds 1 pouce) et pèse 59 kilos (130 livres) a un indice de 25 et se trouve dans les limites du poids-santé;
   - une femme qui mesure 1 m 68 (5 pieds 6 pouces) et pèse 61 kilos (135 livres) a un indice de 23 et se trouve dans les limites du poids-santé.

CHAPITRE 3

Comment retrouver l'énergie d'antan

Plusieurs femmes associent la ménopause à une fatigue inexplicable. Certaines se sentent l'ombre d'elles-mêmes et voient leur énergie fondre comme neige au soleil. D'autres ressentent à des moments précis de la journée des baisses rapides d'énergie du genre panne d'essence. Plusieurs me disent qu'elles ne se reconnaissent plus et qu'elles ont de la difficulté à terminer leur journée. Finalement, quelques-unes rapportent des problèmes de tremblements, de sueurs froides.

De nombreuses causes à la fatigue

Le réaménagement hormonal qui survient à la ménopause peut affecter votre énergie de façon directe et indirecte.

Le manque de sommeil occasionné par les bouffées de chaleur et les sueurs nocturnes n'aide personne à se sentir en bonne forme.

Sur le plan strictement alimentaire, certaines erreurs qui passaient inaperçues à la trentaine vous laissent maintenant complètement vidée. Heureusement que ces erreurs se corrigent facilement, une fois que vous les avez bien identifiées. Voici les plus courantes.

Une mauvaise répartition des protéines dans la journée. Vous êtes trop pressée le matin pour avaler un petit-déjeuner. Vous prenez un ou deux cafés au réveil ou un muffin café au bureau, mais l'esprit clair et la belle énergie ne durent que quelques heures. Vous terminez la matinée mi-fatiguée, mi-affamée. Vous devez prendre conscience que le manque flagrant de protéines en début de journée affecte votre bien-être non seulement en fin de matinée, mais pour une bonne partie de la journée.

Vous êtes parmi celles qui oublient de manger à l'heure du midi parce que votre emploi du temps ne le permet pas. Vous remplacez un repas complet par une pomme et un yogourt entre deux téléphones. Encore là, vous risquez la panne sèche et la rage de sucre vers 16 heures. L'apport insuffisant de protéines au repas du midi est la source principale de vos soucis.

Vous avez honnêtement l'impression qu'un repas du midi peut être composé de plusieurs légumes du genre salade consistante ou plat de crudités. Disons que c'est plutôt une collation bien vitaminée si les légumes sont bien choisis, mais que ce n'est pas un repas soutenant: les protéines y sont encore une fois quasi absentes.

Le soir venu et l'appétit aidant, vous avalez une énorme portion de volaille, de viande ou de poisson. Puis vous grignotez un peu de fromage, vous prenez du yogourt ou vous buvez du lait avec quelques biscuits. Alors là, vous péchez par excès de protéines, car vous en mangez trop au même repas.

Cette façon de manger ne stabilise pas votre énergie, au contraire; elle accentue votre fatigue. Pour conserver une meilleure énergie du matin au soir, apprenez à choisir des aliments riches en protéines à chaque repas et ne sautez pas de repas (voir Quelques pistes de solution, page 44).

Le corps a absolument besoin du bon carburant au bon moment pour fonctionner rondement. Or, lorsque le bon carburant ne fait pas partie de votre menu, vous ressentez rapidement des signes de détresse et ceux-ci sont encore plus marqués à la ménopause.

Des pâtes par-ci, des pâtes par-là. Pleine de bonnes intentions, vous délaissez la viande pour diminuer votre consommation de gras saturé. Bonne décision, mais pas toujours bonne solution. Alors, vous choisissez des pâtes à l'heure du midi. Ce type de repas riche en féculents satisfait votre appétit sur le coup, mais ne vous soutient pas longtemps. Pourquoi? Parce que le repas de pâtes stimule une importante sécrétion d'insuline qui provoque une grande lassitude en après-midi; il peut aussi susciter une faim incontrôlable avant l'heure du prochain repas.

Vous n'êtes pas seule à aimer les pâtes. La preuve, les menus des restaurants en offrent en quantité. Il est même parfois difficile de les éviter.

J'étais récemment dans un grand magasin du centre-ville de Montréal à l'heure du midi. Comme je suis incapable de sauter un repas, je suis allée au comptoir traiteur pour y découvrir une dizaine de plats à base de riz, de pâtes ou de couscous garnis de beaux légumes de toutes les couleurs, mais aucun de ces plats ne fournissait suffisamment de protéines. Il n'y avait qu'un seul plat à base de poulet que j'ai vite commandé...

Même dans le cas de marathoniennes, les experts en nutrition sportive ne conseillent plus le repas de pâtes ou de féculents juste avant ou pendant l'événement sportif. J'ai eu l'occasion de réajuster l'alimentation d'une marcheuse de 60 ans qui, avant de me consulter, entreprenait des randonnées de 50 km (31 milles) sans pouvoir les terminer à cause d'un menu trop riche en féculents. J'ai planifié pour elle une série de petits repas riches en protéines, mais faciles à digérer. Elle complète maintenant des randonnées de 75 km (47 milles) avec brio. Il y a quelques mois, elle m'appelait pour me faire part de son dernier 100 km (62 milles) réussi en mangeant le même menu.

L'obsession de la minceur. L'obsession de la minceur ne se dissipe pas nécessairement avec l'âge et lorsque la ménopause épaissit la ceinture de quelques centimètres, l'obsession refait surface. Alors là, vous ne savez plus comment manger et perdre à la fois.

Si vous essayez de perdre du poids en sautant régulièrement des repas, vous nuisez à coup sûr à votre énergie et vous ne perdrez pas de poids, c'est garanti (voir page 46)!

Si vous ne mangez qu'avec un appétit d'oiseau, vous ne volerez pas très haut! Et le naturel reviendra au galop. Vous risquez de ne pas tenir le coup et de trop manger au repas suivant, ce qui cause encore de la fatigue.

Relisez les Pistes de solution du chapitre 2 et protégez votre énergie.

Un manque de fer. Il arrive très souvent que les années qui précèdent la ménopause soient marquées par des menstruations plus fréquentes et plus abondantes. Ces pertes sanguines entraînent avec elles des pertes additionnelles de fer, principal transporteur de l'oxygène dans le sang. Or, lorsque le fer et l'oxygène sont à la baisse, l'énergie l'est aussi; le souffle raccourcit et la résistance à l'infection est amoindrie.

Si vous prenez habituellement beaucoup de lait ou de fromage, vous faites le plein de calcium, mais vous courez le risque de ne pas trouver suffisamment de fer à votre menu.

Si vous avez remplacé la viande rouge par le poulet et le poisson de façon systématique et que votre consommation de soya et de légumineuses est presque nulle, vous risquez aussi un manque de fer.

Si les légumes et/ou les fruits ne sont pas présents à tous les repas, vous mettez en péril l'absorption du fer.

Traditionnellement, les besoins en fer de la femme diminuaient à 50 ans, puisque la ménopause coïncidait avec la fin des menstruations et des pertes sanguines. Avec l'hormonothérapie, ce n'est plus nécessairement la fin des pertes sanguines. Ainsi, si vous avez des pertes sanguines tous les mois, même après la ménopause, vous avez des besoins plus élevés en fer et vous devez maintenir une bonne consommation d'aliments riches en fer.

Lorsque les analyses sanguines révèlent que votre taux d'hémoglobine est à la limite de la normale, il est fort probable que vos réserves de fer (la ferritine) soient très basses. Ce qui peut expliquer votre fatigue. Si le taux d'hémoglobine lui-même est bas, votre fatigue est encore plus grande.

Consultez les pistes de solution pour remédier à la situation.

Un excès d'aliments lourds. Vous vous laissez tenter par les frites et les sauces à la crème parce qu'elles sont au menu ou qu'elles arrivent avec le plat.

Vous succombez au verre de vin le midi pour faire comme les autres. Vous mangez assez régulièrement le petit morceau de gâteau, de tarte ou de crème-dessert parce qu'il fait partie du menu du jour.

Ces gâteries se brûlent assez bien après quelques heures de ski de fond, de randonnée pédestre ou de vélo, mais si vous retournez à votre ordinateur ou à votre bureau, elles collent aux côtes. De plus, elles alourdissent la digestion, exigent un travail supplémentaire du foie et du pancréas, et vous laissent plus fatiguée que jamais.

D'autres causes possibles de fatigue. Si les erreurs alimentaires précédentes ne correspondent pas vraiment à votre situation, votre fatigue peut être causée par des problèmes organiques.

• Le fonctionnement de la glande thyroïde, grande responsable de la transformation des aliments en carburant, ralentit plus ou moins fortement avec la baisse des œstrogènes. Il peut même y avoir une hypothyroïdie, dont souffrent plus de femmes que d'hommes après l'âge de 40 ans. Ce type de problème mine non seulement votre énergie, mais peut causer un gain de poids, une intolérance au froid, de la constipation, une peau sèche et une perte de cheveux.

• L'insuline, cette hormone qui distribue le sucre dans tout l'organisme, montre souvent des ratés lorsque survient la ménopause. Elle répond de plus en plus mal aux demandes et force le pancréas à en sécréter davantage. On parle alors de résistance à l'insuline et on observe en bout de piste une plus grande incidence d'hypoglycémie. Vous vous sentez beaucoup plus fatiguée après les repas riches en sucre ou en féculents.

• Le diabète peut éventuellement se développer, occasionner une plus grande fatigue et nécessiter des changements importants à votre menu. Presque la moitié des cas de diabète surviennent après 55 ans et 60 % des nouveaux cas diagnostiqués le sont chez les femmes.

Ces maladies, sources de fatigue, doivent être diagnostiquées par votre médecin, à la suite d'analyses sanguines. Ainsi

• le dosage de la TSH permet de vérifier le fonctionnement de la thyroïde;
• le taux d'insuline à jeun permet de vérifier la résistance à l'insuline;
• une hyperglycémie provoquée permet de vérifier votre tolérance au sucre;
• le taux de sucre à jeun permet de vérifier si vous êtes diabétique.

Si les analyses sanguines révèlent un ralentissement anormal de la thyroïde, vous devez prendre une médication appropriée. Si le taux d'insuline à jeun ou si le taux de sucre à jeun sont anormalement élevés, vous devez suivre un régime approprié et personnalisé pour remédier à la situation.

Si les analyses sont normales, mais que la fatigue persiste, révisez votre alimentation en respectant les recommandations suivantes.

Quelques pistes de solution

1. Mangez suffisamment de protéines à chaque repas

Le corps a besoin du bon carburant au bon moment, et les protéines constituent ce bon carburant qui peut soutenir l'énergie pendant plusieurs heures.

À la clinique de nutrition, nous appliquons régulièrement la règle des 15 g de protéines par repas et nos clientes obtiennent rapidement un regain d'énergie (voir Tableau 3, page 48). Que vous soyez végétarienne ou carnivore, il ne s'agit pas d'augmenter votre consommation totale de protéines au-delà de 60 g par jour, mais de prévoir un minimum de 15 g de protéines par repas (voir Tableaux 4 et 5, pages 48 et 49).

Voyez comme il est assez simple d'augmenter les protéines du matin et du midi.

Le matin, incorporez 250 g (8 oz) de yogourt ou 45 g (1½ oz) de fromage ou encore 250 ml (1 tasse) de lait en plus des fruits et d'un produit céréalier et vous ajoutez environ 10 g de protéines à votre repas. Essayez la Crème de tofu aux fruits frais décrite à la page 58 pour varier le menu de votre petit-déjeuner et obtenir suffisamment de protéines.

Le midi, ajoutez 100 g (env. 3 oz) de thon, de saumon ou de poulet aux belles salades de verdures ou aux crudités du comptoir à salades; vous pouvez aussi ajouter 125 ml (1/2 tasse) de pois chiches et du fromage cottage au mélange de légumes.

Le soir, c'est une autre histoire. Si votre portion de volaille, de poisson ou de viande est habituellement très généreuse, n'hésitez pas à la réduire, mais augmentez votre consommation de légumes. Prenez des fruits au dessert. Ces quelques changements ne bouleversent pas le menu, mais vous permettent d'obtenir la bonne dose de protéines au bon moment et de maintenir un meilleur flot d'énergie toute la journée.

Consultez les menus du Tableau 5, page 49 et adaptez graduellement votre alimentation en conséquence.

2. N'hésitez pas à prendre une collation

On a parfois l'impression qu'une alimentation saine ne rime jamais avec une collation. Or, c'est tout à fait le contraire. Les collations peuvent augmenter la valeur nutritive de votre menu et vous redonner du bon carburant au bon moment.

Certaines femmes qui commencent leur journée entre 6 et 7 heures le matin et qui la terminent peu avant minuit ont de très longues journées de travail. D'autres dépensent beaucoup d'énergie physique ou encore font une activité sportive qui modifie l'horaire des repas. Dans ces cas et combien d'autres, les collations deviennent l'heureuse solution.

Il ne s'agit pas d'avaler n'importe quoi n'importe quand, mais de choisir un aliment capable d'augmenter votre énergie pour quelques heures. Des aliments riches en protéines comme les noix, le yogourt, les pois chiches ou les fèves soya rôties, le verre de lait ou la boisson de soya constituent d'excellents exemples.

«Mon petit yogourt de 10 heures me permet d'être moins affamée et d'aborder mon repas du midi de façon plus raisonnable», me confiait l'une de mes lectrices. Choisissez des collations nutritives parmi les quelques aliments fournissant 5 g de protéines (voir Tableau 6, page 50).

3. Réduisez votre consommation de sucre

Les aliments sucrés (bonbons, chocolats, boissons gazeuses, jus de fruits même non sucrés) et les aliments raffinés (pain blanc, riz blanc, craquelins, biscuits, etc.) donnent de l'énergie qui ne dure pas. Ils suscitent une élévation temporaire du taux de sucre dans le sang, stimulent la sécrétion d'insuline et provoquent des baisses d'énergie que l'on identifie souvent comme des épisodes d'hypoglycémie. Ces aliments nuisent donc à la stabilité de votre énergie.

Si vous faites partie de celles qui grignotent des sucreries pour retrouver du pep, oubliez ce type de collations et ayez recours aux collations dites nutritives (voir Tableau 6, page 50).

4. Limitez votre consommation d'alcool

Le verre de vin qui vous détend peut aussi avoir l'effet d'une masse qui vous abat lorsque vous êtes déjà très fatiguée.

Plusieurs femmes fatiguées m'ont consultée au cours des années; certaines mangeaient assez correctement, mais avaient l'habitude de boire un ou deux verres de vin tous les soirs. Après avoir fait l'essai de couper le vin pendant quelques semaines, elles ont toutes noté un regain d'énergie.

Le vin se tolère bien lorsque vous êtes bien reposée. Sinon, il fatigue davantage.

5. Augmentez votre consommation d'aliments riches en fer et favorisez son absorption

Si votre apport de fer était insuffisant avant la ménopause et que vos analyses sanguines sont maintenant à la limite des résultats acceptables, augmentez votre consommation régulière d'aliments riches en fer.

Voici quelques changements que vous pouvez apporter à votre menu:

- incorporez le soya sous diverses formes, puisque cette légumineuse renferme beaucoup de fer; vous pouvez remplacer un verre de lait par une boisson de soya, une fois par jour; essayez des sauces ou des tartinades à base de tofu;

- préparez un filet de truite au lieu d'un filet de sole ou d'aiglefin; vous récoltez trois fois plus de fer;
- multipliez les plats à base de légumineuses, car celles-ci sont très riches en fer;
- payez-vous la traite quelques fois par mois en mangeant des huîtres fraîches ou fumées; elles renferment plus de fer qu'un steak;
- reconsidérez votre attitude en ce qui concerne les abats comme le foie et les rognons; essayez des mousses de foie ou encore des rognons d'agneau au pistou; des délices très riches en fer;
- sucrez votre yogourt nature avec un peu de mélasse noire ou encore avec une purée de pruneaux, deux douceurs pleines de fer;
- incorporez à chaque repas un fruit ou un légume très riche en vitamine C comme l'orange, le brocoli, le poivron ou le cantaloup pour favoriser une bien meilleure absorption du fer (voir Tableau 7, page 51).
- prenez pendant 3 ou 4 mois un supplément de fer pour refaire vos réserves si celles-ci sont très basses.

Recherchez toujours le bon carburant au bon moment. Vous augmenterez graduellement, mais sûrement, votre énergie.

Tableau 3
Quelques aliments fournissant environ 15 g de protéines

Quantité	Aliment
90 g (3 oz)	Abats cuits: cœur, foie et rognons Fruits de mer cuits: crabe, crevettes, homard, huîtres, pétoncles, etc. Gibier cuit: cerf, faisan, lapin, perdrix, pintade, etc. Poisson cuit: aiglefin, saumon, sole, truite, etc. Viande cuite: agneau, bœuf, porc et veau Volaille cuite: dinde et poulet
90 g (3 oz)	Tofu ordinaire, ferme
135 g (½ tasse)	Fromage ricotta ou cottage ordinaire ou allégé
180 g (6 oz)	Tofu soyeux, ferme
180 g (1 tasse)	Légumineuses cuites: • lentilles • haricots rouges, haricots noirs, haricots blancs • pois chiches, pois cassés, etc.
60 g (2 oz)	Fromages à pâte ferme: cheddar, suisse, etc.

Tableau 4
Quelques combinaisons d'aliments fournissant environ 15 g de protéines*

Combinaison	Quantité requise
Fromage ricotta ou **cottage** allégé et **amandes**	90 g (⅓ tasse) de ricotta ou cottage 25 g (3 c. à soupe) d'amandes
Petite salade de **crabe** avec des cubes de **fromage**	30 g (1 oz) de crabe 45 g (1½ oz) de fromage
Tofu soyeux ferme, battu en crème avec un mélange de **noix**	120 g (4 oz) de tofu 25 g (3 c. à soupe) de noix
Julienne de **poulet** et **pois chiches** cuits, en salade	30 g (1 oz) de poulet 90 g (½ tasse) de pois chiches, cuits
Soupe aux **légumineuses** garnie de **fromage parmesan** râpé	250 ml (1 tasse) de soupe 12 g (1 c. à soupe) de parmesan
Yogourt et **noix** de Grenoble	175 g (¾ tasse) de yogourt 25 g (3 c. à soupe) de noix
Salade de **crevettes** et de **haricots noirs**, cuits	30 g (1 oz) de crevettes 120 g (⅔ tasse) de haricots noirs, cuits
Œuf dur en salade avec **lentilles cuites** et lanières de **fromage**	45 g (¼ tasse) de lentilles cuites 1 œuf 25 g (¾ oz) de fromage
Bœuf et **haricots rouges** en chili	30 g (1 oz) de bœuf 90 g (½ tasse) de haricots rouges, cuits
Sauce tomate aux **lentilles** et **fromage** parmesan râpé	125 ml (½ tasse) de sauce 12 g (1 c. à soupe) de parmesan

* Les aliments en caractères gras renferment les protéines.

Tableau 5
Exemples de menus

Menus pauvres en protéines (moins de 5 g)	Menus enrichis de protéines* (environ 15 g)
Banane Pain grillé Confiture de fraises	Banane Pain grillé **Beurre d'arachide** Verre de **lait**
Orange Bagel et beurre Café	Orange Bagel et **fromage ricotta** Café au **lait**
Demi-pamplemousse Pain aux raisins grillé	Demi-pamplemousse Pain aux raisins grillé **Œuf à la coque** Verre de **lait**
Assiette de fruits frais Petit pain croûté	Assiette de fruits frais **Noix** **Yogourt** parfumé à la vanille
Soupe aux légumes Petit pain Fraises fraîches	Soupe aux **légumineuses** Petit pain **Yogourt** et fraises fraîches
Jus de tomate Couscous aux légumes Pomme	Jus de tomate Couscous aux légumes et au **poulet** Pomme et **amandes**
Salade de riz aux poivrons rouges Compote de pommes Muffin	Salade de riz aux poivrons rouges Fromage **feta** **Yogourt**
Crudités Taboulé (salade de persil et de bulghur) Poire	Crudités Taboulé et **pois chiches** Poire et **noix de Grenoble**
Concombre en bâtonnets Sandwich aux tomates Muffin	Concombre en bâtonnets Sandwich au **saumon** Fruit et **graines de tournesol**
Jus de légumes Salade de verdures Biscuits à l'avoine	Jus de légumes Salade de **thon** et verdures Kiwi et **yogourt**
Crudités Spaghetti sauce aux légumes Raisins frais	Crudités Spaghetti sauce aux **lentilles** et **parmesan** râpé Raisins frais

* Les aliments en caractère gras renferment les protéines.

Tableau 6
Quelques aliments fournissant environ 5 g de protéines

Aliment	Portion
Amandes ou graines de sésame	25 g (3 c. à soupe)
Beurre d'amande, de sésame ou d'arachide	15 ml (1 c. à soupe)
Boisson de soya	125 ml (1/2 tasse)
Lait	125 ml (1/2 tasse)
Levure (Torula, Engevita ou Red Star)	16 g (2 c. à soupe)
Noix de Grenoble, du Brésil ou d'acajou, pistaches ou graines de tournesol	35 g (4 c. à soupe)
Œuf	1
Poudre de lait	16 g (2 c. à soupe)
Poudre de protéines de soya	4 g (1 c. à thé)
Spiruline	10 g (2 c. à thé)
Tartinade au tofu	45 ml (3 c. à soupe)
Yogourt ou kéfir	125 g (1/2 tasse)

Tableau 7
Sources alimentaires de fer

Aliment	Portion		Fer (mg)
Fruits et légumes			
Épinards cuits	90 g	1/2 tasse	3,2
Jus de pruneau	250 ml	1 tasse	3,0
Pomme de terre cuite au four	1 moyenne		2,8
Spiruline	10 g	2 c. à thé	2,7
Abricots séchés	8 moitiés		2,5
Mangue	170 g	1 tasse	2,1
Figues	5		2,1
Persil frais	30 g	1/2 tasse	1,9
Pois verts, cuits	80 g	1/2 tasse	1,2
Choux de Bruxelles, cuits	80 g	1/2 tasse	0,9
Brocoli, cuit	80 g	1/2 tasse	0,7
Produits céréaliers			
Farine de pomme de terre	90 g	1/2 tasse	5,4
Crème de blé enrichie, cuite	125 g	1/2 tasse	8,0
Céréales Shreddies ou Raisin Bran	40 g	3/4 tasse	5,7
Germe de blé	30 g	1/4 tasse	2,1
Céréales All Bran	20 g	1/4 tasse	1,9
Viande et autres sources de protéines			
Tofu ordinaire	100 g	3,5 oz	10,5
Huîtres crues de l'Atlantique	90 g	3 oz	6,0
Haricots blancs, cuits	180 g	1 tasse	5,1
Foie (bœuf ou veau) cuit	90 g	3 oz	4,9
Pois chiches, cuits	180 g	1 tasse	4,7
Haricots de Lima, cuits	180 g	1 tasse	4,5
Graines de citrouille rôties	17 g	2 c. à soupe	4,1
Haricots noirs, cuits	180 g	1 tasse	3,6
Crevettes cuites	90 g	3 oz	2,8
Truite grillée	90 g	3 oz	2,1
Bœuf cuit	90 g	3 oz	2,0
Dinde ou agneau, cuit	90 g	3 oz	1,7
Graines de sésame, séchées	20 g	2 c. à soupe	1,4
Thon en conserve	90 g	3 oz	1,3
Graines de tournesol ou noix d'acajou	20 g	2 c. à soupe	1,0
Poulet ou porc, cuit	90 g	3 oz	0,9
Autres			
Mélasse noire *(blackstrap)*	15 ml	1 c. à soupe	3,4

Apport nutritionnel recommandé en fer:
13 mg / jour: femmes menstruées et femmes avec saignement de retrait;
8 mg / jour: femmes non menstruées (Canada 1990).

CHAPITRE 4

Les bouffées de chaleur

Ouf! Les bouffées de chaleur sont en quelque sorte la marque de commerce de la ménopause. Elles constituent la manifestation la plus généralisée et le coup d'envoi de cette transformation hormonale. De fait, elles signalent tout simplement une petite défectuosité de notre thermostat qui ne semble plus savoir quel temps il fait. Alors, sans avertissement ou presque, un genre de poussée de fièvre se fait sentir, particulièrement dans le haut du dos, et peut durer de quelques secondes à plusieurs minutes. Des rougeurs peuvent apparaître sur le cou et sur le visage, accompagnées de sueurs plus ou moins abondantes. Lorsque les bouffées de chaleur surviennent la nuit, elles réveillent brusquement, s'accompagnent de sueurs dites nocturnes... et bouleversent le sommeil.

LE SECRET DES JAPONAISES

Plus de huit femmes sur dix se plaignent de bouffées de chaleur en Amérique du Nord, alors que seulement deux femmes sur dix s'en plaignent au Japon, selon Margaret Lock de l'Université McGill. Ce professeur-chercheur a passé plusieurs années au Japon afin de mieux comprendre le phénomène de la ménopause dans ce pays. Elle a fait des observations inattendues qui ont étonné la communauté internationale.

Les Japonaises ont non seulement moins de bouffées de chaleur, mais elles présentent quatre fois moins de cancer du sein, souffrent moins de maladies cardiovasculaires et d'ostéoporose et vivent plus longtemps que les Occidentales.

Plusieurs chercheurs ont tenté d'expliquer ces différences et d'y voir plus clair. Parmi ceux-ci, certains se sont attardés à l'alimentation. Une équipe de Finlande, sous la direction du Dr Herman Adlercreutz, connaissait déjà la présence de substances œstrogéniques dans certains aliments et a voulu évaluer le contenu habituel du menu des femmes nippones. Pour ce faire, ils ont mesuré la quantité de phytoestrogènes (voir encadré) qui sont éliminés dans les urines des Japonaises. Ils en ont décelé 100 à 1000 fois plus que dans les urines des Américaines et des Finlandaises et ont pu établir un lien direct entre les phytoestrogènes éliminés et la consommation de tofu, miso, soya et autres produits de soya (voir Tableau 8, page 63).

Vers le milieu des années 80, des scientifiques ont identifié la présence de substances œstrogéniques dans certains aliments d'origine végétale. Ils les ont nommées *phytoestrogènes.* Ces substances inactives dans l'aliment se transforment en œstrogènes actifs grâce à la flore intestinale et ont une structure chimique semblable à celle des œstrogènes produits par nos ovaires.
Elles se trouvent principalement dans le soya sous la forme d'isoflavones et dans les graines de lin sous forme de lignanes.

Comme vous pouvez l'imaginer, plusieurs scientifiques ont voulu vérifier l'effet de ces phytoestrogènes sur les malaises associés à la ménopause. Les recherches vont bon train et les premiers résultats sont fort intéressants.

- Avant la ménopause, les phytoestrogènes ont une activité œstrogénique plus faible que celle de l'œstradiol, l'œstrogène produit par nos ovaires; ils semblent par ailleurs agir comme un antiœstrogène et peuvent être particulièrement utiles dans la prévention des cancers hormonodépendants comme le cancer du sein (voir chapitre 9).

• Après la ménopause, la consommation régulière de phytoestrogènes élève de façon significative le niveau d'œstrogènes en circulation.

• Les isoflavones du soya peuvent non seulement diminuer les bouffées de chaleur, mais protéger la santé des artères et de l'ossature (voir chapitres 6, 7 et 8).

• Les lignanes contenues dans les graines de lin ont une action antiœstrogénique qui peut être utile dans la prévention du cancer du sein.

LES PHYTOESTROGÈNES ET LES BOUFFÉES DE CHALEUR

À la suite des observations de l'équipe finlandaise sur la consommation de phytoestrogènes des Japonaises, plusieurs chercheurs cliniciens ont voulu utiliser le soya pour diminuer les bouffées de chaleur chez des femmes à la ménopause.

La première recherche du genre a été menée au Brighton Medical Clinic d'Australie. Soixante femmes ménopausées ont été choisies parce qu'elles avaient au moins 14 bonnes bouffées de chaleur par semaine. Pendant trois mois, elles ont intégré à leur alimentation quotidienne 45 g (1/3 tasse) de farine camouflée dans un aliment; certaines recevaient de la farine de soya, d'autres de la farine de blé entier, les femmes ne sachant pas quelle farine elles consommaient, soya ou blé entier. Or, à la fin de l'étude, les utilisatrices de la farine de soya avaient noté une réduction graduelle de 40 % de leurs bouffées de chaleur.

Une autre étude menée à l'hôpital universitaire de Jérusalem a suivi 145 femmes souffrant de bouffées de chaleur. Un groupe de 95 femmes choisies au hasard a pris tous les jours pendant 12 semaines 80 g de tofu, 2 verres de boisson de soya, 5 ml (1 c. à thé) de miso et 15 ml (1 c. à soupe) de graines de lin une fois moulues (l'autre source de phytoestrogènes). Un second groupe de femmes n'a apporté aucun changement à son menu. À la fin de l'étude, les femmes du premier groupe ont noté une plus grande diminution de leurs bouffées de chaleur; certaines femmes ont même ressenti un effet remarquable après seulement quelques jours, alors que d'autres n'ont pas réagi aussi fortement. Après la fin de l'étude, certaines femmes ont noté une reprise des bouffées de chaleur. Les phytoestrogènes du soya et des graines de lin avaient fait la différence.

Une étude menée à Bologne, en Italie, auprès de 104 femmes pendant 12 semaines a également montré que l'addition au menu de 60 g de protéines de soya en poudre pouvait diminuer graduellement les bouffées de chaleur de 26 % après 3 semaines à 45 % au terme des 12 semaines.

L'effet des phytoestrogènes est maintenant reconnu.

Après avoir fait plusieurs expériences pour diminuer mes bouffées de chaleur (supplément de vitamine E, vêtements moins chauds, éventail dans mon bureau, bain chaud le matin plutôt que le soir, etc.), j'ai consommé du tofu tous les jours, il y a quelques années de cela, et j'ai connu une nette diminution dans l'intensité et le nombre des bouffées de chaleur.

Je recommande aux femmes qui me consultent à cause d'un problème de bouffées de chaleur la consommation quotidienne d'aliments riches en soya et plusieurs me disent ressentir une amélioration. Certaines voient même des effets plus marqués lorsqu'elles augmentent la quantité de soya.

Des aliments qui nuisent, d'autres qui aident

Certains aliments comme l'alcool et le vin augmentent ponctuellement les bouffées de chaleur en augmentant la quantité d'œstrogènes en circulation. D'autres aliments comme un bol de soupe chaude font rapidement monter la température du corps sans nécessairement être associés au manque d'œstrogènes.

Par ailleurs, les aliments riches en boron comme les noix, les légumineuses, les fruits secs ainsi que les fruits et légumes (voir Tableau 9, page 65) aident à soulager indirectement les bouffées de chaleur en favorisant la circulation d'œstrogènes dans le sang.

Quelques pistes de solution

1. Incorporez du soya et des graines de lin à votre menu quotidien

Bravez les préjugés de votre entourage et incorporez à votre alimentation quotidienne les deux meilleures sources de phytoestrogènes: le soya et les graines de lin. Vous pouvez prendre le soya sous forme de boisson de soya, de tofu, de tempeh, de poudre de protéines de soya, de farine de soya, de fèves soya cuites ou rôties ou encore de miso (voir Tableau 8, page 63) ou encore sous forme de mets cuisinés avec du tofu ou autre forme de soya (voir Tableau 10, page 66). Quant aux graines de lin, vous les réduisez en poudre et les saupoudrez sur vos céréales, un yogourt ou de la Crème de tofu aux fruits frais (recette page 58). L'expérience en vaut la peine et ne coûte pas cher et, pour une fois, les effets secondaires sont nettement intéressants: baisse du mauvais cholestérol sanguin (LDL), augmentation du bon cholestérol (HDL), augmentation de la densité osseuse et prévention du cancer du sein.

Intégrez à votre menu de tous les jours:

• 15 ml (1 c. à soupe) de graines de lin une fois moulues ainsi que

• 100 g (env. 3 oz) de tofu et 30 ml (2 c. à soupe) de poudre de protéines de soya ou tout autre produit à base de soya qui vous permet d'atteindre entre 75 et 150 mg d'isoflavones de soya par jour (voir Tableaux 11 et 12, pages 68 et 69). Les Japonaises en consomment 200 mg par jour.

Soyez patiente, car il faut prévoir de trois à six semaines avant de ressentir une différence et d'en tirer tous les bénéfices. Si les résultats sont plus rapides, profitez-en.

Souvenez-vous que vous devez en prendre tous les jours pour obtenir l'effet désiré. Deux plats de tofu par semaine ne suffisent pas pour avoir des résultats.

Mon petit-déjeuner préféré est une Crème de tofu aux fruits frais (voir recette, page 58). Je considère le petit-déjeuner comme un des meilleurs moments pour intégrer le soya, car c'est le repas le moins affecté par une vie professionnelle et sociale mouvementée. Les autres repas ne s'y prêtent pas toujours.

Si la Crème de tofu ne vous attire pas, préparez un Lait crémeux au tofu (voir recette, page 59). Délicieux!

Vous pouvez aussi préparer une savoureuse Tartinade beurre d'arachide et tofu (voir recette, page 59) ou prendre tout simplement des Protéines de soya (voir recette, page 59). Vous pouvez également:

• utiliser une boisson de soya dans vos céréales ou dans vos potages à la place du lait. Plusieurs boissons de soya sont maintenant enrichies de calcium et de vitamine D, ce qui vous permet de remplacer le lait sans être obligée de le compléter par un supplément de calcium;

• utiliser du miso comme assaisonnement dans des sauces ou des soupes à la place du sel;

• remplacer le morceau de viande par une grillade de tempeh;

• utiliser des trempettes à base de tofu que l'on trouve dans le commerce pour tartiner un bon pain de grains entiers;

• préparer des soupes à la chinoise avec bouillon, oignon vert finement coupé et plusieurs cubes de tofu; on peut relever avec de l'ail, du gingembre frais râpé et un peu de jus de lime;

• mélanger une quantité égale de tofu soyeux et de yogourt aux fruits et servir à l'heure du dessert ou de la collation avec un fruit frais ou quelques amandes grillées;

Consultez la liste des livres de recettes qui peuvent vous aider à élargir votre répertoire de recettes à base de soya. Rassurez-vous, vous ne pouvez pas vraiment en manger trop.

❧ Crème de tofu aux fruits frais

Au robot culinaire, réduisez en crème une orange pelée à vif coupée en morceaux et une pomme sucrée coupée en quatre. Ajoutez 100 g (env. 3 oz) de tofu de type japonais de marque Mori-Nu ou Kikkoman, 5 à 15 g (1 c. à thé à 1 c. à soupe) de graines de lin une fois moulues et 45 ml (3 c. à soupe) d'avoine fraîchement moulue. Mélangez jusqu'à consistance lisse et crémeuse.
Donne une portion

❧ Crème d'avocat au tofu

Mélangez 60 g (2 oz) de tofu soyeux à une moitié d'avocat, 15 ml (1 c. à soupe) de jus de citron et de la ciboulette finement coupée.
Donne environ 125 ml (1/2 tasse)

Lait crémeux au tofu

Passez au mélangeur une quantité égale de lait écrémé ou à 1 % et de tofu japonais jusqu'à consistance lisse. Versez ce lait onctueux sur vos céréales préférées ou sur des fruits frais coupés en morceaux.

Tartinade beurre d'arachide et tofu

Mélangez une quantité égale de tofu et de beurre d'arachide naturel; relevez d'un soupçon de sirop d'érable ou de miel. Servez sur du pain grillé ou encore comme trempette avec des morceaux de fruits frais. Se conserve bien au frigo.

Protéines de soya

Camouflez 30 à 60 ml (2 à 4 c. à soupe) de poudre de protéines de soya dans un verre de lait ou un bol de yogourt.

Boisson aux fruits et au tofu

Préparez des boissons frappées aux fruits et au tofu: 200 ml (7 oz) de fraises ou bleuets, frais ou congelés sans sucre, 100 g (env. 3 oz) de tofu soyeux, 15 à 30 ml (1 à 2 c. à soupe) de miel et 5 glaçons. Fouetter le tout au mélangeur et servir très froid.
Donne 2 à 3 portions

Trempette exquise au tofu

Au robot culinaire, mélangez jusqu'à l'obtention d'une consistance onctueuse: un bloc de tofu soyeux ferme de 12 oz (350 g), le jus d'un demi-citron, 20 ml (4 c. à thé) de moutarde de Dijon, 15 ml (1 c. à soupe) de vinaigre de vin, 30 ml (2 c. à soupe) de ciboulette et de basilic, frais, finement hachés, sel et poivre au goût. Servir immédiatement avec de belles crudités ou conserver au frigo.
Donne environ 500 ml (2 tasses)

Sauce vanillée au tofu

Au robot culinaire, mélanger un bloc de tofu soyeux

ferme, 15 ml (1 c. à soupe) de miel et 2 ml (1/2 c. à thé) de vanille jusqu'à l'obtention d'une consistance lisse et crémeuse.
On peut utiliser cette sauce au lieu d'une crème fraîche ou fouettée sur des fruits frais ou encore sur une meringue ou un gâteau. Très savoureux!
Donne environ 500 ml (2 tasses)

2. Diminuez votre consommation de vin et d'alcool

Ce n'est pas la simple présence de vos amis ou l'atmosphère agréable du restaurant qui vous réchauffent de façon spontanée lors d'un repas bien arrosé. Un simple apéro peut provoquer la bouffée de chaleur qui vous déconcerte et vous met dans une situation inconfortable. Observez le phénomène de plus près et ajustez votre consommation de vin et d'alcool en conséquence.

3. Augmentez votre consommation d'aliments riches en boron

Le boron est un minéral comme le calcium, le magnésium et le fer. Il fait partie des éléments nutritifs, dont les fonctions sont reconnues et maintenant considérées comme essentielles. Parce que son action est semblable à celle des œstrogènes – mais il possède un pouvoir plus limité –, le boron peut aider à diminuer les bouffées de chaleur. Il semble également capable de réduire les pertes quotidiennes de calcium et peut s'ajouter aux mesures préventives contre l'ostéoporose.

Une consommation d'environ 3 mg de boron par jour semble suffisante pour obtenir des effets intéressants en ce qui concerne les bouffées de chaleur et la rétention du calcium (voir Tableau 13, page 70). Comme vous pouvez le constater, un menu suffisamment riche en fruits et légumes, comportant une quantité modérée de noix et de fruits secs, vous apporte la dose souhaitée de boron.

Pour obtenir une dose intéressante de boron et d'isoflavones, faites l'essai de la Crème d'avocat au tofu (voir recette, page 58). Cette crème se conserve bien au frigo, peut servir de trempette avec des crudités ou de tartinade ou de purée mousse avec un plat de volaille ou de fruits de mer.

4. Considérez la prise d'un supplément de vitamine E

Je reçois de nombreux témoignages à l'effet qu'un supplément de vitamine E aide énormément à réduire les bouffées de chaleur. Malgré une multitude d'études faites sur la vitamine E et ses activités antioxydantes au niveau de la membrane cellulaire, aucune n'a été menée pour évaluer son action sur les bouffées de chaleur. Cela dit, plusieurs études épidémiologiques relient un supplément de vitamine E à une réduction des risques de maladies cardiovasculaires, ce qui peut être intéressant pour de nombreuses femmes de 50 ans et plus. Si vous prenez déjà un supplément de 200 ou de 400 UI de vitamine E et que vous n'avez plus de bouffées de chaleur, n'hésitez pas à continuer, car cette dose n'occasionne aucun effet secondaire. Si vous devez prendre une dose plus forte que 400 UI, consultez le chapitre 10.

5. Devez-vous prendre un supplément d'huile d'onagre?

D'autres femmes ne jurent que par un supplément d'huile d'onagre. Cette huile extraite de la fleur du même nom renferme un type de gras tout à fait particulier, l'acide gamma-linolénique. Ce type de gras fait partie des acides gras essentiels de la famille des oméga-6 et remplit diverses fonctions importantes dans le corps humain. Il est fabriqué par l'organisme lui-même avec le gras que l'on mange, mais sa fabrication est limitée lorsque les circonstances ne sont pas favorables: trop de mauvais gras, trop d'alcool, manque de vitamines et de minéraux, vieillissement. Or, la fabrication diminue davantage chez les femmes qui avancent en âge que chez les hommes, et cela indépendamment de leur alimentation.

On sait que l'huile d'onagre riche en acide gamma-linolénique favorise, entre autres, la production de prostaglandines qui jouent un rôle dans l'équilibre hormonal féminin; c'est pourquoi elle est utilisée pour soulager les malaises prémenstruels.

Pendant la ménopause, son action est beaucoup moins reconnue. L'unique recherche sur les bouffées de chaleur menée en Angleterre il y a quelques années n'a révélé qu'un effet positif sur les sueurs nocturnes. Par ailleurs, plusieurs femmes semblent y trouver une solution.

Si vous désirez en faire l'essai, prenez-en au repas plutôt qu'à jeun; commencez par une petite dose et augmentez graduellement. Sachez que l'huile d'onagre peut causer des effets secondaires chez certaines personnes.

Comme vous le constatez, les phytoestrogènes peuvent jouer un rôle intéressant et alléger les bouffées de chaleur.

Tableau 8 Petit lexique du soya	
Produit et sa description	Utilisation
Boisson de soya: liquide provenant de fèves de soya trempées cuites, moulues et pressées. Plusieurs sont maintenant enrichies de calcium et de vitamine D (vérifier l'étiquette). 300 mg de calcium / 250 ml 7,5 g de protéines / 250 ml	La boisson de soya est pasteurisée, elle se trouve sous forme liquide à l'état frais ou UHT. Elle s'utilise comme le lait de vache, elle est offerte en différentes saveurs ainsi qu'en version légère. On la trouve aussi en poudre.
Concentré de protéines de soya: contient 65 % de protéines extraites de fèves de soya réduites en flocons. Les fibres du soya sont conservées.	
Desserts surgelés au soya: faits avec du lait de soya ou du yogourt de soya.	**Note:** le sucre peut être présent en grande quantité dans ces produits, vérifier l'étiquette.
Farine de soya: fèves de soya rôties et moulues finement.	La farine de soya peut être utilisée en petite quantité dans les produits de boulangerie.
Fromage de soya: fait avec de la boisson de soya, du tofu ou des protéines de soya.	Ce fromage se consomme tel quel ou s'utilise dans les recettes.
Granules de soya: fèves de soya rôties, moulues en granules.	Ces granules sont habituellement utilisés par l'industrie alimentaire pour ajouter de la valeur nutritive au riz ou aux autres grains.
Isolat de protéines de soya: contient 90 % de protéines extraites de fèves de soya réduites en flocons. L'isolat est présent dans de nombreuses poudres vendues comme supplément de protéines. 20 g de protéines / 30 ml de poudre	L'isolat est utilisé par l'industrie alimentaire pour augmenter la durée de conservation des produits, améliorer la texture des aliments ou comme émulsifiant. Il entre également dans la composition de formules pour nourrissons et de suppléments alimentaires.
Lécithine de soya: extraite de l'huile de soya (1-3 % de lécithine).	La lécithine est utilisée pour la stabilisation, l'antioxydation, la cristallisation des produits que l'on trouve dans le commerce et comme émulsifiant pour les produits gras. La lécithine est aussi vendue comme supplément.

Tableau 8 (suite)

Miso: pâte de fèves de soya fermentées. Riche en sodium (sel). 603 mg de sodium / 15 ml (1 c. à soupe)	Le miso est un substitut du sel ou de la sauce soya dans les recettes; il peut ajouter de la saveur aux légumes, aux graines, au tofu, aux sauces et aux soupes.
Noix de soya: fèves de soya trempées dans l'eau qui sont ensuite rôties à l'huile ou à l'air, dont la texture et la saveur sont similaires aux arachides. 40 g de protéines / 100 g	Les noix de soya entières ou émiettées sont vendues nature ou assaisonnées.
Sauce soya: liquide brun foncé et salé provenant de la fermentation des fèves de soya. C'est un assaisonnement et un condiment riche en sodium (sel). 1017 mg de sodium / 15 ml (1 c. à soupe). Il ne contient aucune trace d'isoflavones.	**Tamari:** (nom japonais de la sauce soya) fait principalement de soya, peut contenir des protéines hydrolysées; **Shoyu:** (nom japonais de la sauce soya) mélange de soya, peut contenir des protéines de blé; **Teriyaki:** sauce soya aromatisée de sucre, vinaigre et épices; **Sauce PVH:** sauce préparée à base de protéines végétales hydrolysées (soya, maïs et blé) non fermentée, additionnée de sirop de maïs, de caramel et de sel.
Tempeh: soya combiné à un grain entier, habituellement du riz ou du millet. Les fèves de soya sont trempées dans l'eau et cuites. Ensuite, on ajoute un ferment qu'on laisse agir. Le tempeh frais est recouvert d'une couche blanche semblable à la croûte du brie ou du camembert. Le tempeh est tendre et possède une saveur comparable aux champignons. 19 g de protéines / 100 g	Le tempeh doit être cuit avant d'être consommé. Il est savoureux comme plat principal ou en collation lorsqu'il a mariné pendant une vingtaine de minutes. Rehausse les sauces à spaghetti, le chili et les soupes. Cuit à la vapeur et râpé, il se mélange à la mayonnaise pour une garniture à sandwich.
Tofu: boisson de soya chauffée et caillée, à l'aide d'un coagulant, puis pressée en bloc. Le tofu est blanc et possède une texture poreuse qui lui permet d'absorber facilement les saveurs des marinades ou des autres aliments auxquels on le mélange. 8 g de protéines / 100 g de tofu ordinaire mou 16 g de protéines / 100 g de tofu ordinaire ferme 7 g de protéines / 100 g de tofu soyeux	Le tofu n'a pas besoin de cuisson; il est prêt à manger. Tofu ordinaire (ferme et mou): en tranches ou en cubes, on peut l'utiliser dans les ragoûts. Émietté, il remplace la viande hachée. Tofu soyeux (ferme et mou) aussi appelé tofu japonais: idéal pour les trempettes, les potages ou les crèmes fruitées. **Note:** le tofu léger ou faible en gras contient moins d'isoflavones que les autres tofus fermes ou extra-fermes.

Tableau 9
Contenu en boron de quelques aliments

Aliment	Portion		Boron (mg)
Fruits et légumes			
Avocat	1/2 fruit		2,1
Pruneaux	50 g	4 c. à soupe	0,9
Pêche séchée	40 g	4 c. à soupe	0,8
Jus de pruneau	125 ml	1/2 tasse	0,8
Raisins secs	15 g	2 c. à soupe	0,7
Pêche	1		0,6
Abricots séchés	3		0,5
Raisins rouges	90 g	1 tasse	0,5
Poire	1		0,5
Prunes	2		0,5
Dattes	4		0,4
Orange	1		0,3
Pomme	1		0,3
Céleri	60 g	1/2 tasse	0,3
Figues séchées	2		0,3
Kiwi	1		0,3
Jus de pomme	125 ml	1/2 tasse	0,3
Carotte	1		0,2
Brocoli	50 g	1/4 tasse	0,2
Pomme de terre	1 petite		0,1
Sources de protéines			
Haricots rouges, cuits	180 g	1 tasse	2,6
Haricots borlotti	180 g	1 tasse	2,3
Lentilles cuites	180 g	1 tasse	1,5
Pois chiches, cuits	180 g	1 tasse	1,2
Noisettes	20 g	2 c. à soupe	0,9
Amandes	20 g	2 c. à soupe	0,6
Beurre d'arachide	15 ml	1 c. à soupe	0,4
Noix du Brésil	5 moyennes		0,3
Noix de Grenoble	20 g	2 c. à soupe	0,2
Autres			
Vin rouge	100 ml	3 oz	0,9
Vin blanc	100 ml	3 oz	0,3

Tableau 10 Aliments contenant du soya ou cuisinés à base de soya	
Aliment	Forme du soya
Disponibles dans les magasins spécialisés	
Sandwich au tofu césar	Tofu
Sauce au tofu pour spaghetti	Tofu
Vinaigrette à la moutarde et au tamari ou aux arachides et tamari	Fèves de soya
Vinaigrettes pour salades (choix de 5 saveurs)	Tofu et miso
Mayonnaise	Tofu soyeux ou boisson de soya
Flocons de soya	Fèves de soya
Soupes aux nouilles déshydratées (plusieurs sortes sont en vente)	Fèves de soya et miso
Soupe aux légumes	Miso
Tofu brouillé (imitant les œufs brouillés)	Tofu
Base de soupe instantanée	Protéines végétales provenant de fèves de soya
Burger au tofu	Tofu
Boisson de soya (chocolat ou vanille)	Lait de soya
Barre nutritive (plusieurs sortes sont en vente)	Isolat de protéines de soya
Fromages de soya de toutes sortes	Tofu
Assaisonnements pour poulet, œufs, pâtes (sachet déshydraté)	Tofu
Tofu fumé ou aux herbes	Tofu
Nouilles de tofu	Tofu
Cretons végétariens	Tofu ou fèves de soya
Parmesan râpé au tofu	Tofu
Yogourt de soya	Fèves de soya
Lasagne (pâté de soya)	Tofu
Ragoût de boulettes, pâté chinois, etc.	Protéines de soya
Fricassée de tofu	Tofu
Boissons de soya	
Pâté aux algues	Boisson de soya
Pâté aux poireaux	Boisson de soya biologique
Pâté aux légumes	Boisson de soya biologique
Quiche aux poireaux	Boisson de soya biologique et tofu
Tourtière de millet	Boisson de soya et tofu
Tourtière de seitan	Boisson de soya
Tourtière du Lac	Boisson de soya et tofu
Végé-rouleaux	Boisson de soya
Cretons végétariens	Boisson de soya biologique et tofu
Galantine	Tofu
Tofu ferme ou soyeux	
Tempeh	

Tableau 10 (suite)
Aliments cuisinés à base de soya

Aliment	Forme du soya
Pâté au gingembre	Boisson de soya biologique et tofu
Pâté 3 poivres	Boisson de soya biologique et tofu
Sauce dijonnaise	Boisson de soya biologique
Terrine	Tofu
Trempette pour légumes	Boisson de soya biologique
Vinaigrette pour salade de chou	Boisson de soya biologique
Biscuits secs, sucrés	Boisson de soya biologique
Bûche de Noël	Boisson de soya biologique
Choux à l'érable	Boisson de soya biologique
Gâteau au pavot	Boisson de soya biologique
Gâteau au soya	Boisson de soya biologique
Gâteaux sucrés (plusieurs sortes)	Boisson de soya biologique
Mousse à l'érable, au chocolat ou au café	Boisson de soya biologique
Tartes au citron ou à la citrouille	Boisson de soya biologique
Crème-dessert au tapioca	Boisson de soya biologique
Brioche aux raisins	Boisson de soya
Croissant de blé	Boisson de soya
Pain aux amandes	Boisson de soya
Pain au caroube	Boisson de soya
Disponibles dans les supermarchés	
Terrine	Tofu biologique
Tourtière au millet	Tofu
Tartinade au tofu	Tofu
Boisson de soya	
Tofu nature ou aux fines herbes	Tofu
Pâté à la viande sans viande	Produits de la protéine de soya
Saucisses à déjeuner	Isolat de protéines de soya
Saucisses à hot-dog	Isolat de protéines de soya
Escalopes jardinières	Isolat de protéines de soya
Tranches déli	Isolat de protéines de soya
Veggie burger	Produits de la protéine de soya
Saucisses au chili	Isolat de protéines de soya
Disponibles à la crémerie	
Tofu glacé à saveur de citron	Tofu

Tableau 11
Contenu en isoflavones de certains produits de soya

Aliment	Portion	Isoflavones (mg par portion)
Farine de soya	50 ml (25 g)	54
Tofu	1 bloc de 115 g	53
Tempeh	1 morceau de 100 g	51
Fèves soya cuites	125 ml (95 g)	40
Fèves soya en conserve	125 ml (95 g)	40
Fèves soya rôties	60 ml (30 g)	34
Burger au tempeh	1 (100 g)	32
Protéines de soya texturisées	15 ml (22 g)	24
Poudre de soya	15 ml (12 g)	22
Boisson de soya	250 ml (1 tasse)	20 à 35
Flocons de soya	25 ml (15 g)	15
Burger de soya	1 croquette (60 g)	14
Croustilles de soya	1 paquet (60 g)	10
Hot-dog de soya	1 (60 g)	8
Miso	5 ml (1 c. à thé)	6
Sauce soya	2 ml (1/2 c. à thé)	moins de 1
Huile de soya	5 ml (1 c. à thé)	0

Tableau 12
Trois menus comportant plus de 75 mg d'isoflavones* par jour

Repas	1	2	3
		Aliments	
Petit-déjeuner	Jus de fruits **Crème de tofu aux fruits frais****	Fruit frais Céréales à grains entiers **Lait crémeux au tofu****	**Boisson aux fruits et au tofu**** Pain de blé entier
Repas du midi	Julienne de poulet Petits légumes Vinaigrette maison Pain de blé entier Fruit frais	Truite au four Chou frisé au citron Riz brun à la ciboulette Quartier de cantaloup	Potage de lentilles Crudités **Trempette au tofu**** Cubes de fromage et pita Compote de pommes
Collation	Lait et **Protéines de soya****	**Boisson de soya**	Yogourt et **Protéines de soya****
Repas du soir	Pâtes de blé entier Sauce primavera Salade d'épinards Yogourt Fruit et noix	Salade santé (pois chiches, feta, tomates, poivrons, laitue romaine et vinaigrette) Fruit **Sauce vanillée au tofu****	Crevettes sautées au wok avec légumes de saison Riz brun au persil Endive et vinaigrette Figues et clémentines

* Les aliments en caractère gras renferment beaucoup d'isoflavones.

* * Voir pages 58-59 pour les recettes.

Tableau 13
Menu comportant environ 3 mg de boron*

Repas	Aliments	Quantité de boron
Petit-déjeuner	**Jus de pruneau** 125 ml ($^{1}/_{2}$ tasse) 1 rôtie au **beurre d'arachide** 15 ml (1 c. à soupe) Céréales et lait Café	0,75 mg 0,20 mg – –
Collation	**Kiwi** et 30 ml (20 g) **d'amandes**	0,73 mg
Repas du midi	Jus de légumes Salade de poulet (poulet, fines laitues, **céleri, carotte,** le tout arrosé d'une vinaigrette maison) Yogourt nature et **4 dattes**	– – 0,25 mg 0,38 mg
Collation	**Pomme**	0,32 mg
Repas du soir	Saumon grillé **Brocoli cuit** 80 g ($^{1}/_{2}$ tasse) Pain à grains entiers Petite salade verte Fruit frais	– 0,23 mg – – –
Collation	1 verre de lait	–
	Total	3,3 mg

* Les aliments en caractère gras renferment beaucoup de boron.

CHAPITRE 5

Les ballonnements

Vous avez déjà eu l'impression d'avoir avalé un ballon très dur, une heure ou deux après avoir mangé, habituellement sans avertissement? Même si tout rentre dans l'ordre quelques heures plus tard ou le lendemain matin, quelle frustration. Et quel inconfort qui s'ajoute aux centimètres récemment collés à la ceinture. Le phénomène peut arriver tous les jours. Il fait partie des malaises souvent rapportés, selon les médecins spécialisés dans le domaine de la ménopause.

Les recherches scientifiques en parlent rarement, parce que ce type de problème ne raccourcit pas vraiment notre séjour sur terre. En clinique de nutrition, c'est différent. Nous prenons la chose très au sérieux, car l'alimentation peut en être la cause et la solution.

Certaines femmes ballonnent lorsque les intestins ne fonctionnent pas régulièrement. De fait, la constipation se voit plus souvent chez les femmes que chez les hommes et augmente de fréquence avec l'âge. À la ménopause, le problème peut devenir encore plus encombrant. Il faut donc lutter plus activement contre des intestins dits paresseux.

D'autres femmes abusent du sucre sans s'en rendre compte, petit biscuit par-ci, confiture par-là... Or, la consommation régulière d'aliments sucrés provoque naturellement une certaine fermentation intestinale qui se manifeste par des ballonnements. Ce n'est pas grave, mais la situation est inconfortable.

D'autres femmes adoptent quotidiennement le sandwich ou le repas de pâtes à l'heure du midi et voient leur taille épaissir à vue d'œil dès le début de l'après-midi.

D'autres femmes augmentent leur consommation de lait en voulant rehausser leur consommation de calcium et prévenir l'ostéoporose, mais elles développent sans s'en rendre compte une intolérance au lactose. Dans ce cas-là, les ballonnements s'accompagnent de crampes abdominales et de diarrhée. L'élimination du lactose devient alors essentielle et tout rentre dans l'ordre.

Enfin, certains ballonnements peuvent être reliés à une maladie inflammatoire du tube digestif. Ce type de problème est beaucoup plus sérieux, mais moins fréquent que les précédents et mérite une investigation médicale complète.

Quelques pistes de solution

Le recours aux tailles élastiques dans les jupes et les pantalons apporte un grand soulagement à court terme, mais une révision de vos habitudes alimentaires peut vous aider à plus long terme.

1. Réglez vos problèmes de constipation

Des intestins qui ne fonctionnent pas régulièrement occasionnent non seulement des ballonnements, mais nuisent au bon fonctionnement du foie et de l'ensemble du tube digestif. Vous ne devez pas tolérer une telle situation.

Comme première mesure, révisez vos habitudes matinales. Prenez le temps d'avaler un bon verre d'eau au réveil et un minimum d'aliments riches en fibres par la suite: par exemple, un fruit frais, des céréales de son, un bol de yogourt ou la Crème de tofu aux fruits frais de la page 58. Prévoyez une pause de quelques minutes après ce premier repas de la journée. Il n'y a rien de plus constipant qu'un horaire trop stressant le matin.

La deuxième mesure consiste à évaluer votre consommation de fibres alimentaires (voir Tableau 14, page 76) et à augmenter graduellement votre apport afin d'atteindre environ 30 g de fibres par jour. Ne faites pas de changements trop brusques, car le problème peut s'aggraver. Augmentez du même coup votre consommation d'eau à environ 2 litres (8 tasses) par jour pour prévenir la déshydratation. Si, après quelques semaines, vous ne tolérez pas les fruits et les légumes crus et les produits céréaliers riches en fibres, ayez recours à des préparations à base de psyllium (Métamucil, Prodiem) qui peuvent aider.

La troisième mesure vise à augmenter l'activité physique. La marche, la danse ou tout autre exercice physique favorisent le travail des intestins. Trouvez toutes les excuses pour faire des choses à pied; montez les escaliers dans le métro, garez votre voiture loin de votre destination, adoptez un chien, devenez membre d'un club de marche, faites du vélo ou patinez. L'activité physique fait partie d'une routine santé.

2. Surveillez votre consommation de sucre

Le sucre quel qu'il soit est un produit qui fermente. Pour vérifier si ce type de fermentation coïncide avec vos ballonnements, prenez note de votre menu pendant quelques jours et soulignez les aliments qui renferment plus ou moins de sucre: biscuits même secs, confitures, miel, sirop d'érable, crèmes-desserts, tartes, gâteaux, boissons gazeuses, raisins secs, dattes, gomme à mâcher, petits bonbons ou menthes. Si vous trouvez plusieurs de ces aliments dans une journée, éliminez-les complètement pendant quelques jours et notez la différence. Remplacez les confitures par une compote de pommes ou une banane en tranches, le dessert sucré par un fruit frais ou une salade de fruits, les fruits secs par des amandes ou des pistaches. Le changement proposé ne vise pas une perte de poids, mais une simple diminution des aliments très sucrés pour réduire les ballonnements.

3. Réduisez votre consommation de pain ou de pâtes le midi

J'ai vu plusieurs femmes se plaindre de ballonnements très incommodants, malgré le fait qu'elles mangeaient un menu équilibré. L'exemple suivant me semble le plus probant.

Francine, 48 ans, est en préménopause. Elle me consulte parce qu'elle a pris 4,5 kg (10 lb) depuis 6 mois, parce qu'elle est ballonnée tous les jours et qu'elle ne peut plus supporter cette situation. Sa routine alimentaire est quasi impeccable: trois repas par jour, choix judicieux d'aliments et calories limitées. De plus, elle fait une heure d'exercice tous les jours. Après avoir évalué l'ensemble du menu, j'ai proposé entre autres choses d'éviter le sandwich du midi et de le remplacer par une bonne source de protéines et quelques légumes crus ou cuits. Résultat: les ballonnements ont disparu très rapidement et Francine a perdu 3,4 kg (7 lb) en 4 mois grâce à plusieurs autres petites modifications.

Pour éviter le pain ou les pâtes au repas du midi, privilégiez:

• une poitrine de poulet accompagnée d'une belle salade verte et vinaigrette;

• une salade de crevettes ou de thon et quelques tranches d'avocat;

• une soupe de légumineuses, quelques crudités et un fromage frais;

• une salade de légumineuses et légumes frais ainsi qu'un yogourt;

• une viande ou un poisson grillé et des légumes vapeur en quantité.

À la suite de l'adoption d'un menu de ce genre, voyez comment vous vous sentez; si ça va mieux, tentez de remettre le pain et les pâtes à votre menu. Vous serez en mesure de juger si ce sont les vrais coupables.

4. *Éliminez ou diminuez votre consommation de lactose*

Le lactose est un sucre contenu naturellement dans les produits laitiers frais comme le lait, le yogourt, le fromage cottage, la crème glacée (voir Tableau 15, page 77). Il se digère grâce à une enzyme qui porte le nom de lactase et qui est normalement produite dans l'intestin. Lorsque cette enzyme fait défaut, vous pouvez avoir des crampes, des ballonnements et de la diarrhée après la consommation d'un produit laitier. Si les problèmes de diarrhée deviennent chroniques, l'absorption de certains éléments nutritifs est diminuée de façon importante.

Si vous avez de tels problèmes, éliminez toutes les sources de lactose pendant au moins deux semaines et notez les changements. Au bout de 15 jours, reprenez un grand verre de lait et observez vos réactions. Si les symptômes réapparaissent aussitôt, adoptez une routine alimentaire comprenant le moins de lactose possible. Par contre, vous pouvez utiliser des laits dont le lactose a été prédigéré (Lactaid ou Lacteeze) ou encore des comprimés de Lactaid ou de Lactrase avant de manger un produit laitier riche en lactose. Si ces mesures ne règlent que partiellement le problème, évitez absolument tous les aliments qui renferment du lactose. Vous devez toutefois rechercher d'autres bonnes sources de calcium et de vitamine D pour protéger votre ossature.

5. Si les premières mesures n'ont rien donné, consultez un médecin pour une investigation plus poussée

Plusieurs maladies différentes du tube digestif présentent des symptômes qui se ressemblent: une grande fatigue, un manque de fer dans le sang, des diarrhées importantes ou une constipation coriace et, bien entendu, des ballonnements. Ces symptômes peuvent être reliés à des maladies inflammatoires de l'intestin, à un côlon irritable, à de la diverticulite ou encore à la maladie cœliaque. Divers tests permettent de détecter et de diagnostiquer ces problèmes. Comme il s'agit de conditions sérieuses et de régime adapté à chaque condition, je vous conseille de consulter un médecin pour poursuivre l'investigation et une diététiste pour modifier votre alimentation, si les symptômes décrits s'apparentent à votre situation.

Vous pouvez régler assez facilement vos problèmes de ballonnement en surveillant de plus près les fibres, le sucre, les féculents ou encore le lactose. N'attendez pas un jour de plus!

Tableau 14
Sources alimentaires de fibres

Aliment	Portion		Fibres (g)
Fruits et légumes			
Avocat	1/2	1/2 tasse	9
Framboises	120 g	1 tasse	8
Mangue	170 g	1 tasse	6
Poire	1	1	5
Pomme de terre avec pelure, cuite au four	1	1	5
Bleuets	150 g	1 tasse	4
Fraises	150 g	1 tasse	4
Maïs ou pois verts, cuits	80 g	1/2 tasse	4
Kiwi, pomme ou orange	1	1	3
Abricots frais	3	3	2
Banane	1	1	2
Figue fraîche	1	1	2
Carotte	1	1	2
Produits céréaliers			
Céréales de son de blé avec psyllium	20 g	1/4 tasse	8
Orge mondé, cuit	100 g	1 tasse	5
Céréales de son de blé	20 g	1/4 tasse	5
Son de blé	15 g	1/4 tasse	4
Riz brun, cuit	190 g	1 tasse	3
Germe de blé	30 g	1/4 tasse	3
Pâtes alimentaires de blé entier	140 g	1 tasse	2
Pain de blé entier	1 tranche	1 tranche	1 tranche
Sources de protéines			
Haricots de Lima, cuits	180 g	1 tasse	16
Haricots rouges, cuits	180 g	1 tasse	15
Haricots noirs, cuits	180 g	1 tasse	15
Lentilles ou pois chiches, cuits	180 g	1 tasse	10
Amandes	30 g	2 c. à soupe	3
Beurre d'arachide	30 ml	2 c. à soupe	2
Tofu ordinaire, ferme	125 g	1/2 tasse	2

Tableau 15
Teneur en lactose* de certains aliments

Aliment	Portion	Lactose (g)
Laits et ses dérivés		
Lait entier, à 2 %, écrémé	250 ml (1 tasse)	11
Lait délactosé (Lactaid ou Lacteeze)	250 ml (1 tasse)	0,05 et moins
Yogourt	125 g (1/2 tasse)	2,5
Fromages		
Pâtes fermes	30 g (1 oz)	0,4 et 0,7
Fromages frais (cottage ou ricotta)	125 ml (120 g)	4
Certains fromages sans lactose	30 g (1oz)	moins de 0,01 %
Desserts lactés		
Crème ou lait glacé	125 ml (1/2 tasse)	5

* Plusieurs médicaments renferment aussi du lactose en petites quantités. Si l'information n'est pas indiquée sur l'emballage, vérifiez auprès de votre pharmacien.

CHAPITRE 6

Comment protéger nos artères

On a longtemps cru que les maladies cardiovasculaires n'étaient réservées qu'aux hommes; or, les femmes n'en sont certainement pas épargnées, puisqu'elles vivent les mêmes problèmes qu'eux, mais environ dix ans plus tard. De fait, les maladies cardiovasculaires constituent notre première cause de décès. Toutefois, même s'il est correct de dire que plus de femmes meurent d'un infarctus que d'un cancer du sein, cette affirmation n'est plus tout à fait juste en ce qui concerne les femmes à la ménopause. De fait, les femmes entre 50 et 60 ans meurent trois fois plus souvent de cancers que d'accidents cardiovasculaires, car ceux-ci ne progressent qu'après l'âge de soixante-dix ans (voir Tableau 16, page 91).

Les risques de faire une crise cardiaque demeurent quand même deux à trois plus élevés après la ménopause qu'avant. C'est pourquoi il est sage d'aborder la question et d'agir pour prévenir.

Il existe toutefois une bonne nouvelle au dossier, puisque les décès qui résultent des maladies de cœur ont chuté de 36 % chez les Canadiennes entre 1979 et 1995.

LES VULNÉRABILITÉS D'UN CŒUR DE FEMME

Jusqu'à la ménopause, la femme semble protégée des maladies cardiovasculaires. Elle a moins de mauvais cholestérol (LDL) que l'homme du même âge et beaucoup plus de bon cholestérol (HDL) que lui; en d'autres mots, elle bénéficie d'avantage des

HDL qui se chargent de ramasser l'excès de cholestérol collé aux artères, de le ramener vers le foie et de l'éliminer dans la bile.

Lorsque survient la ménopause, la femme note pour la première fois de sa vie un problème de cholestérol. Pour le cholestérol total, on parle d'une augmentation moyenne de 1,1 mmol (20 %) qui s'échelonne sur une période d'environ huit ans, de la pré à la postménopause. Vous aviez par exemple un cholestérol total de 5,1 mmol à 45 ans; vous avez maintenant un taux de 6,2 mml à 53 ans.

Pendant la même période, vous pouvez aussi noter une augmentation des triglycérides (une autre sorte de gras qui circule dans le sang) et une augmentation de la pression artérielle. La protection qui existait à l'époque des menstruations n'est plus!

Malgré les changements associés à la ménopause, le cœur des hommes et des femmes continue d'avoir des traits communs. Dans les deux cas, les risques de faire un infarctus ou un accident cérébro-vasculaire augmentent avec la cigarette, une pression artérielle élevée, un cholestérol sanguin élevé, une vie sédentaire et un excès de poids.

Par ailleurs, d'autres facteurs de risque sont différents. Contrairement à l'homme, la femme voit son taux d'insuline à jeun augmenter avec l'âge, ce qui accroît sa vulnérabilité au diabète. De plus, lorsqu'elle souffre de diabète, elle a deux fois plus de risques d'avoir un problème cardiovasculaire que l'homme diabétique. Celle dont le taux de bon cholestérol (HDL) est plus bas que la norme ou dont le taux de triglycérides est plus élevé devient également plus vulnérable que l'homme ayant des taux comparables.

Quant aux symptômes, ils diffèrent aussi; la femme peut avoir mal à la mâchoire, être à bout de souffle, avoir des nausées, des douleurs au bras et à la poitrine de façon occasionnelle bien avant d'avoir un infarctus, alors que chez l'homme, la douleur intense à la poitrine se manifeste au moment de l'infarctus.

UNE QUESTION D'HORMONES?

Vers la fin des années 50, plusieurs équipes de chercheurs voyant les femmes protégées des accidents cardiovasculaires avant la ménopause ont voulu vérifier l'effet protecteur des œstrogènes sur le cœur et les artères. Convaincus que les œstrogènes pouvaient être *la* solution aux problèmes cardiaques, certains chercheurs en ont même donné de fortes doses à des hommes, mais ils n'ont pas obtenu de bons résultats. Plusieurs recherches ont par contre démontré que la prise d'œstrogènes après la ménopause pouvait améliorer les niveaux de cholestérol et l'élasticité des vaisseaux sanguins sans nécessairement éliminer tous les facteurs de risque comme la pression artérielle et les triglycérides. Par ailleurs, l'effet protecteur n'était plus tout à fait le même avec l'ajout de la progestérone et variait selon le type de progestérone utilisé.

Avant de conclure que les hormones font la différence, on peut se demander pourquoi la fréquence des accidents cardiovasculaires chez la femme n'augmente que 20 ans après la baisse des œstrogènes dans l'organisme? Comment expliquer que les femmes grasses qui produisent plus d'œstrogènes dans leur tissu gras demeurent plus à risque de maladies cardiovasculaires que les minces?

Plusieurs questions demeurent sans réponse et jusqu'à tout récemment, aucune étude n'avait encore évalué correctement l'impact de l'hormonothérapie sur la mortalité cardiaque, ce qui est vraiment la conclusion souhaitée.

Or, les résultats de l'étude clinique HERS (Heart and Estrogen/Progestin Replacement Study) menée auprès de 2763 femmes ayant une condition cardiaque sont à l'effet que l'hormonothérapie n'est pas bénéfique dans ce cas. Les auteurs provenant d'une vingtaine de centres universitaires de recherche aux États-Unis concluent en disant que même si l'hormonothérapie améliore les niveaux de cholestérol, elle ne devrait pas être prescrite pour prévenir les problèmes cardiaques chez des femmes à risque. Cette étude publiée dans l'*American Medical Association Journal* en août 1998 démontre qu'il est impératif de vérifier les hypothèses avec la plus grande rigueur scientifique avant de créer de faux espoirs.

Pour ce qui est des bénéfices réels des hormones sur la santé cardiovasculaire de femmes en santé, des réponses plus définitives seront disponibles en l'an 2005 lorsque l'étude The Women Health Initiative Randomized Trial sera conclue.

UNE QUESTION D'HABITUDES DE VIE?

Selon le Dr Elizabeth Barrett-Connor, responsable du PEPI trial, une autre grande recherche américaine dans le domaine, il y a actuellement plus d'écart entre l'incidence des problèmes cardiaques des femmes du Japon et celle des États-Unis qu'entre les femmes qui prennent ou ne prennent pas d'hormones. En d'autres mots, l'influence de l'environnement immédiat (habitudes alimentaires, activité physique) pourrait être supérieure à celle des hormones. C'est pourquoi le Dr Barrett-Connor souligne le rôle important que peuvent jouer l'alimentation, la cigarette et l'activité physique dans cette dynamique.

Or, l'effet de l'alimentation sur la santé cardiovasculaire des hommes a fait l'objet de maintes études, alors que peu d'études se sont intéressées aux femmes. L'une des plus fascinantes s'est déroulée en Scandinavie sur une période de 12 ans auprès de 1400 femmes de 40 à 64 ans. Les auteurs qui croyaient trouver un lien entre l'incidence des infarctus et le gras ou l'obésité ont plutôt découvert un lien avec une faible consommation d'aliments et de calories. Ils ont conclu que les problèmes cardiovasculaires dans cette population pouvaient être reliés à un manque d'éléments nutritifs protecteurs.

L'étude des 80 000 infirmières américaines ou la Nurses Health Study menée depuis 1980 a également tenu compte du rôle de l'alimentation. Au cours des 14 premières années de l'étude, les chercheurs ont observé 939 accidents cardiovasculaires et ils n'ont pu établir aucun lien avec la consommation totale de gras. Ces chercheurs du Harvard School of Public Health ont par ailleurs noté que le risque de maladies cardiaques augmentait de 21 % pour chaque addition de 2,3 g de gras hydrogénés (acide gras trans) dans l'alimentation de ces femmes.

La liaison dangereuse qui existe entre la consommation de gras hydrogénés et les risques cardiovasculaires a fait l'objet de plusieurs études récentes et ne peut plus être ignorée dans ce dossier (voir Tableau 1, page 19).

COMMENT SAVOIR SI VOUS ÊTES VULNÉRABLE

Ni un blocage graduel de vos artères, ni le surplus de cholestérol sanguin ne vous réveillent la nuit, mais lorsque les douleurs à la poitrine ou au bras gauche commencent à vous inquiéter, il est déjà assez tard. N'attendez pas aussi longtemps pour évaluer vos risques.

L'histoire familiale est un premier indice à considérer. Si un de vos parents ou grands-parents a eu un accident cardiovasculaire ou une intervention majeure avant d'atteindre l'âge de 60 ans, si vos oncles ou vos tantes ont connu le même sort, vous êtes plus vulnérable aux problèmes cardiovasculaires.

Vos habitudes de vie entrent aussi en ligne de compte.

Si vous fumez 35 cigarettes par jour, vos risques sont sept à dix fois plus élevés que si vous ne fumez pas. La cigarette annule la protection assurée par les œstrogènes, fait baisser le bon cholestérol (HDL) et augmente les plaquettes responsables de la coagulation du sang. Les deux tiers des infarctus précoces, dont sont victimes les femmes de moins de 50 ans, se produisent chez des fumeuses.

Si votre activité physique est nulle ou presque, vos risques sont plus élevés que si vous êtes régulièrement active.

Si vous succombez aux fritures assez souvent, si vous avalez craquelins, biscuits et croustilles sans sourciller, si votre consommation de viande et de fromage est importante, si vous ne pouvez manger votre pain sans beurre ni margarine, votre consommation de gras saturés et hydrogénés augmente vos risques.

Un surpoids peut vous nuire. Ainsi, si votre tour de taille dépasse 85 cm (33 po), l'excès de poids qui loge sous la ceinture suscite l'augmentation du mauvais cholestérol et des triglycérides ainsi que la baisse du bon cholestérol.

Si vous souffrez de **diabète** ou **d'hypertension**, vos risques sont plus élevés, mais ne vous découragez pas. Vous avez toujours la possibilité d'améliorer vos habitudes de vie et de diminuer les séquelles de votre problème. Si, par ailleurs, vous avez des problèmes d'hypoglycémie, surveillez votre alimentation, mais dormez tranquille: votre système cardiovasculaire n'est pas nécessairement touché.

DES TESTS QUI COMPLÈTENT VOTRE ÉVALUATION

Un bilan lipidique complet peut apporter des précisions. Malgré une histoire familiale inquiétante, vous pouvez avoir un excellent dossier. Obtenez une ordonnance pour connaître le cholestérol *total*, les *HDL* (le bon cholestérol), les *LDL* (le mauvais cholestérol) et les *triglycérides*; ces analyses sanguines vous permettent d'avoir un bilan lipidique complet. Lorsque vous recevez les résultats, ne vous faites pas trop de souci pour votre taux de cholestérol *total*, car il ne donne qu'une partie de l'histoire; calculez votre facteur de risque (indiqué ci-dessous) pour avoir l'histoire au complet.

Pour déterminer votre facteur de risque cardiovasculaire, divisez votre cholestérol total par les HDL: par exemple, si votre cholestérol total est de 7,3 mmol/L et que vos HDL sont à 1,5 mmol/L, divisez 7,3 par 1,5: vous obtenez un facteur de risque de 4,8.
Si votre facteur de risque ne dépasse pas 4,5, vous pouvez dormir sur vos deux oreilles. Si votre facteur de risque dépasse 4,6, vous devez tenter d'apporter des changements à vos habitudes de vie, comme il est suggéré dans Quelques pistes de solution (voir page 85).

Un dosage de l'homocystéine peut compléter l'information. Si votre facteur de risque ne dépasse pas 4,5, mais que votre histoire familiale et vos habitudes de vie vous inquiètent, demandez un dosage sanguin de l'*homocystéine,* car un taux élevé d'homocystéine peut révéler un blocage d'artère, indépendamment d'un taux normal de cholestérol. Si l'analyse démontre que vous avez un taux normal d'homocystéine, soit aux environs de 10 micromol/L, vous n'avez plus à vous inquiéter, car les risques de problèmes cardiovasculaires sont faibles. Si votre homocystéine dépasse 14 micromol/L, votre risque de faire un infarctus est trois fois plus important.

L'homocystéine est un acide aminé qui sert à la formation de certaines protéines dans l'organisme. Elle est toujours présente dans le sang, mais ne fonctionne rondement que lorsqu'elle reçoit un apport suffisant de trois vitamines du complexe B: l'acide folique, la pyridoxine (B6) et la vitamine B12. Lorsque ces vitamines font défaut dans l'alimentation, l'homocystéine s'accumule dans le sang, contribue à l'épaississement des artères et accentue les risques de formation de caillot en augmentant l'adhésivité des plaquettes sanguines. Lorsqu'on augmente l'apport d'acide folique (voir Tableau 17, page 92) sous forme d'aliments et de suppléments, on peut abaisser le taux d'homocystéine.

Un dosage de l'insuline à jeun est un autre test qui prédit les problèmes futurs. Si, par exemple, vous avez un excès de gras à la ceinture, une analyse de l'insuline à jeun permet de prédire quelques années à l'avance si vous êtes sur la voie qui mène au diabète. Lorsque le taux d'insuline à jeun augmente, celle-ci travaille de moins en moins efficacement et doit être produite en quantités supplémentaires pour effectuer les mêmes tâches; on parle alors de résistance à l'insuline. Et, de fil en aiguille, la situation s'aggrave. L'augmentation de l'insuline ou la résistance à l'insuline perturbe la tolérance au sucre; la tolérance amoindrie au sucre mène au diabète de type II. La condition est fréquente après la ménopause et elle multiplie par cinq ou six les risques de maladies cardiovasculaires.

Si votre taux d'insuline à jeun est élevé, vous pouvez dès aujourd'hui changer vos habitudes de vie et retarder l'avènement de ces problèmes.

Note: Les dosages de l'homocystéine ou de l'insuline à jeun ne sont pas faits dans tous les laboratoires, mais on les fait de plus en plus fréquemment.

Quelques pistes de solution

Si vous présentez plusieurs facteurs de risque, adoptez rapidement les mesures suivantes, car elles peuvent faire augmenter votre bon cholestérol (HDL) et redescendre le mauvais, abaisser votre pression artérielle ainsi que votre taux d'insuline à jeun – on sait qu'une hausse de 10 mg des HDL peut diminuer les risques de 50 %. Vous pourrez même perdre quelques kilos sans trop vous en rendre compte et vous améliorerez graduellement votre situation cardiovasculaire.

Si vous n'avez aucun facteur de risque, mais que vous voulez prévenir certains problèmes cardiaques dans une perspective de santé globale, adoptez les mesures qui vous conviennent et cultivez à long terme la santé de vos artères.

1. Misez sur la qualité des gras

Les études menées depuis quelques années indiquent assez clairement qu'il existe des bons et des mauvais gras: les bons protègent la santé des artères et abaissent le mauvais cholestérol, alors que les mauvais font le contraire et pire encore. Dans votre lutte pour minimiser les possibilités d'avoir un accident cardiovasculaire, misez plus que jamais sur les bons gras.

Les gras *monoinsaturés* en font partie: ils protègent le bon cholestérol, abaissent le mauvais et favorisent même un meilleur contrôle du diabète. Parmi ceux-ci se trouvent l'huile d'olive extra-vierge, l'huile de canola, l'huile de noisette, l'avocat, les olives, les amandes et les pistaches.

Les gras *oméga-3* font également merveille en ce qui concerne la santé cardiovasculaire, car ils agissent sur le comportement des plaquettes sanguines un peu à la façon de l'aspirine et réduisent les possibilités de caillots sanguins; de plus, ils abaissent les triglycérides et peuvent même diminuer l'arythmie chez certains cardiaques. Parmi les aliments riches en gras oméga-3 figurent tous les poissons, mais en particulier les poissons gras comme le saumon, le maquereau et les sardines. Les graines de lin, les noix de Grenoble et le soya en renferment aussi de bonnes quantités. Les légumes très verts et feuillus comme les épinards, la bette à carde, les feuilles de pissenlit, les choux cavaliers et frisés en renferment aussi de petites quantités.

La recherche qui a su démontrer de façon la plus éclatante les bienfaits des bons gras demeure celle de chercheurs français de Lyon sous la direction de Michel de Lorgeril. Ces médecins ont suivi 605 cardiaques ayant déjà fait un infarctus. Pendant plus de deux ans, ils ont modifié l'alimentation de la moitié de ces malades; ils ont réduit leur consommation de viande, mais ont mis l'accent sur les gras oméga-3 et sur les fruits et légumes sans limite précise des quantités à manger. Avec cette alimentation dite méditerranéenne, ils ont réussi à réduire la mortalité et le nombre d'infarctus de 76 % par rapport au groupe témoin, un exploit qui dépasse les résultats de toutes les autres interventions menées avec l'aide de médicaments.

Quant aux mauvais gras, ce sont d'abord les gras *saturés* présents dans les viandes, les œufs, les crèmes et les fromages qui font augmenter le mauvais cholestérol. Sans les éliminer complètement de votre alimentation, vous pouvez facilement les diminuer en rationnant vos portions de viande, en espaçant les dégustations de fromages fins et en conservant les crèmes pour les grandes occasions.

Ce sont aussi les gras *hydrogénés* qui augmentent les risques cardiovasculaires de façon encore plus importante que les gras saturés. Ils se faufilent partout, dans la majorité des margarines, des croustilles, des craquelins, des biscuits et autres aliments transformés. Vous avez avantage à réduire au minimum la consommation de ce type de gras, surtout si vous avez déjà quelques facteurs de risque. Lisez les étiquettes et évitez tous les aliments qui renferment des gras hydrogénés ou du shortening dans la liste des ingrédients.

2. Ne fuyez pas les gras comme la peste

La diète méditerranéenne riche en *bons* gras semble plus prometteuse en ce qui concerne la santé cardiovasculaire que la guerre à tous les gras menée par les Américains depuis quelques années. Cette guerre peut même produire l'effet contraire. Ainsi, une étude menée dans le but de comparer l'effet de deux diètes différentes sur les facteurs de risques cardiovasculaires de femmes ménopausées a ouvert les yeux à plusieurs. La première diète était moins riche en gras et plus riche en féculents, alors que la seconde était plus riche en bons gras et moins riche en féculents. Les chercheurs ont noté avec étonnement que la première diète plus faible en gras contribuait à une hausse de triglycérides et de l'insuline à jeun ainsi qu'à une baisse du bon cholestérol (HDL), alors que l'autre n'augmentait pas ces facteurs de risques.

Plutôt que d'éviter tous les gras, encouragez les *bons* gras avec modération. Plutôt que d'arroser vos salades avec des sauces sans huile ou hypocaloriques, faites votre propre vinaigrette avec une huile d'olive extra-vierge ou une huile de canola; mangez régulièrement des poissons gras comme la truite, le saumon ou les sardines; grignotez des noix de Grenoble ou des amandes plutôt que des craquelins ou des biscuits remplis de gras hydrogénés. Grâce à ces aliments, vous protégez vos artères.

3. Augmentez votre consommation de soya

Les résultats de 29 recherches ayant utilisé le soya pour abaisser le cholestérol ont surpris plusieurs lecteurs du *New England Journal of Medicine* à l'été 1995. Les personnes ayant incorporé du soya à leur alimentation ont vu leur mauvais cholestérol baisser de 13 %, leurs triglycérides baisser de 10,5 % et leur bon cholestérol monter de 2,4 %, même si, dans la majorité des cas, ces personnes avaient mangé autant de gras, de gras saturé, de cholestérol et de calories que celles qui n'avaient pas pris de soya. Les personnes qui avaient des taux élevés de cholestérol (8,6 mmol/L) ont vu des réductions de près de 20 % en mangeant 2 à 3 portions d'aliments riches en soya chaque jour. Il s'agissait bien entendu de soya riche en isoflavones, ces phytoestrogènes présentés au Chapitre 4 et au Tableau 11, page 68.

Au Baker Medical Research Institute de Melbourne en Australie, on a voulu évaluer l'effet des isoflavones de soya non pas uniquement sur le cholestérol, mais sur la santé des artères d'une vingtaine de femmes. Les chercheurs ont vu que 80 mg d'isoflavones de soya par jour pendant cinq à dix semaines amélioraient l'élasticité de la paroi des artères, alors que cette élasticité diminue normalement avec l'âge. Les auteurs ont même comparé cette amélioration à celle qui est observée avec une hormonothérapie.

Pour vraiment bénéficier du soya, incorporez-le à votre alimentation quotidienne sous forme de tofu (voir idées de recettes des pages 58 à 60), de boisson de soya ou de poudre d'isolat de protéines de soya. Un apport de 75 à 100 mg d'isoflavones par jour travaille activement à la santé de vos artères (voir Tableau 12, page 69).

4. Augmentez votre consommation de fibres solubles

Contrairement aux fibres *insolubles* du son de blé qui augmentent le volume fécal et préviennent la constipation, les fibres *solubles* que vous trouvez dans les légumineuses, le son d'avoine, le psyllium, l'orge mondé, le son de riz ou de maïs, les pommes, ainsi que les autres fruits et légumes favorisent l'excrétion du cholestérol dans la bile et les intestins. Quelques repas par semaine de lentilles ou de pois chiches, un bol de céréales enrichi de psyllium plusieurs fois par semaine, une pomme en collation, une salade le midi sont tous des changements à votre portée et capables de vous aider à baisser votre cholestérol.

D'autre part, cette même consommation abondante de fruits et de légumes, qui peut s'élever à sept ou huit portions par jour, augmente sensiblement votre apport d'antioxydants, vos réserves de vitamine C, de caroténoïdes, de potassium et de magnésium, et peut contribuer à faire descendre votre pression artérielle, autre facteur de risque non négligeable.

5. Prenez le supplément approprié, s'il y a lieu

• Un supplément de vitamines du complexe B

Si votre taux d'homocystéine est trop élevé, prenez chaque jour un supplément de vitamines du complexe B qui fournit au moins 400 µg d'acide folique. Cette dose additionnelle de vitamines B peut abaisser votre taux d'homocystéine et réduire ce facteur de risque.

• Un supplément de vitamine E

Un antioxydant comme la vitamine E peut protéger contre l'oxydation du mauvais cholestérol. Des doses élevées de vitamine E prises en supplément ont été associées dans plusieurs études de différentes populations à une réduction significative du risque de maladies cardiovasculaires et à un ralentissement de la progression de l'athérosclérose. Un supplément de 400 UI par jour constitue une dose acceptable. Ne dépassez pas cette dose si vous prenez déjà des anticoagulants ou si vous faites de l'hypertension et de l'hyperthyroïdie.

6. N'éliminez pas le vin, mais...

Le vin est devenu l'élixir de choix dans la tête de plusieurs amateurs et adeptes du mieux-être. Mais attention! Le vin n'a pas le monopole des atouts nutritionnels. Il renferme, bien sûr, des polyphénols qui agissent comme antioxydants et qui semblent augmenter le bon cholestérol.

Par ailleurs, le vin peut nuire à certaines femmes aux prises avec un cancer du sein hormonodépendant. Une étude menée aux États-Unis, au Danemark et au Portugal auprès de femmes ménopausées a démontré qu'une consommation modérée de vin élevait le taux d'œstrogènes dans le sang. Une seconde étude a examiné l'effet du vin chez des femmes ménopausées qui prenaient une hormonothérapie et chez d'autres qui n'en prenaient pas; les chercheurs du Bringham and Women's Hospital de Boston ont observé que les œstrogènes en circulation sanguine s'élevaient trois fois plus chez celles qui prenaient une hormonothérapie que chez les autres.

Une consommation modérée pour une femme ne dépasse pas un verre de vin rouge ou blanc par jour, malgré tous les beaux discours!

7. Augmentez votre activité physique

L'activité physique régulière permet d'augmenter le bon cholestérol (HDL), améliore le travail de l'insuline, abaisse la pression artérielle, abaisse le taux de fibrinogènes (autre facteur de risque) et ralentit la coagulation du sang! Qui dit mieux?

Pour atteindre de tels résultats, planifiez environ 30 minutes d'exercice modéré chaque jour ou presque. Il n'est pas nécessaire d'être une adepte de jogging; pensez plus souvent aux promenades à pied ou en vélo, au golf, au jardinage, à transporter des paquets et à prendre les escaliers plutôt que l'ascenseur. Faites travailler vos muscles sur une base régulière et vous récolterez autant de bénéfices que si vous arrêtiez de fumer.

Protéger nos artères, c'est un programme qui se met en pratique tous les jours et qui améliore la qualité de vie de nos vieux jours.

Tableau 16
Principales causes de décès chez la femme après 50 ans

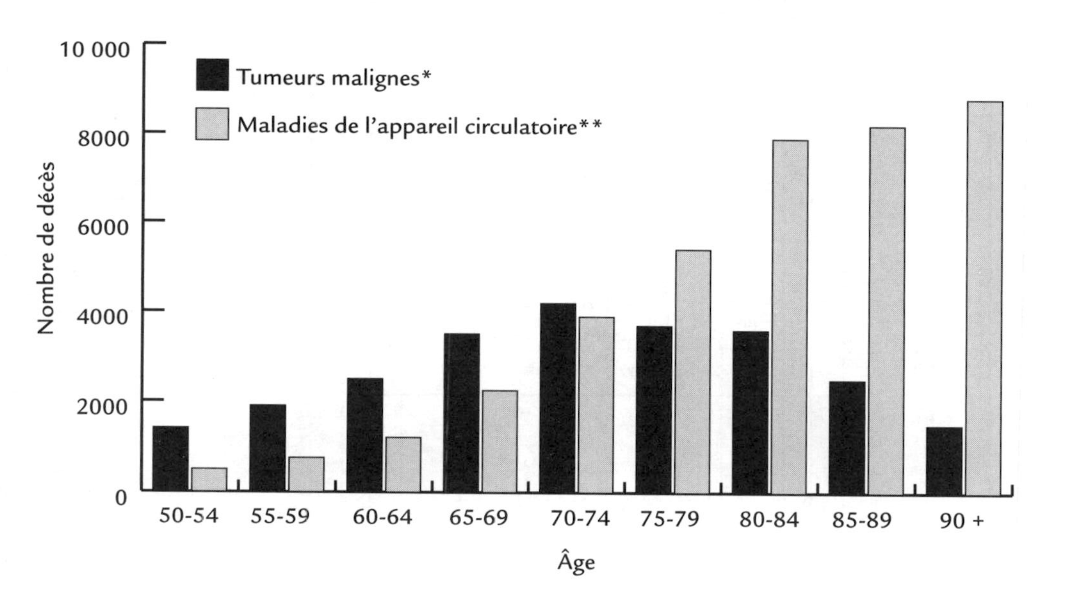

* Les tumeurs malignes sont celles de l'appareil digestif, de l'appareil respiratoire, du sein, du col de l'utérus et de la vessie.

** Les maladies de l'appareil circulatoire comprennent principalement celles-ci: infarctus (aigu, ancien), angine, péricardite, maladies hypertensives, insuffisance cardiaque, maladies vasculaires cérébrales, athérosclérose.

Source: Statistiques Canada, 1995.

Tableau 17
Sources alimentaires d'acide folique*

Aliment	Portion		Acide folique (µg)
Fruits et légumes			
Épinards cuits	180 g	1 tasse	277
Avocat	1	1	124
Asperges cuites	90 g	1/2 tasse	88
Brocoli cuit	160 g	1 tasse	78
Laitue romaine	60 g	1 tasse	76
Jus d'orange	125 ml	1/2 tasse	55
Pois verts, cuits	80 g	1/2 tasse	50
Choux de Bruxelles cuits	80 g	1/2 tasse	47
Orange	1	1	40
Chou frisé (kale) cuit	130 g	1 tasse	30
Fraises	150 g	1 tasse	28
Jus de pamplemousse	125 ml	1/2 tasse	26
Kiwi	1	1	17
Produits céréaliers			
Farine de soya	40 g	1/2 tasse	147
Germe de blé	30 g	1/4 tasse	80
Farine de sarrasin foncée	50 g	1/2 tasse	63
Céréales Raisin Bran ou Shreddies	50 g	1 tasse	33
Céréales All Bran	20 g	1/4 tasse	17
Viande et autres sources de protéines			
Lentilles cuites	180 g	1 tasse	378
Pois chiches, cuits	180 g	1 tasse	298
Foie de veau cuit	90 g	3 oz	272
Haricots noirs, cuits	180 g	1 tasse	256
Haricots rouges, cuits	180 g	1 tasse	242
Foie de bœuf cuit	90 g	3 oz	187
Haricots blancs, cuits	180 ml	1 tasse	153
Fèves de soya rôties	15 g	2 c. à soupe	44
Graines de tournesol	20 g	2 c. à soupe	38
Œuf cuit	1	1	23
Tofu ordinaire	125 g	1/2 tasse	19
Produits laitiers			
Fromage cottage à 2 %	225 g	1 tasse	30
Autres			
Levure Torula	8 g	1 c. à soupe	300

* Apport nutritionnel recommandé: 185 µg / jour 25-49 ans
(Canada 1990) 195 µg / jour 50-74 ans

CHAPITRE 7

Comment conserver nos os

Ne prenons pas nos os pour acquis! Ils ont l'air d'être résistants pour la vie, mais surprise, ils respirent... et se reconstruisent un peu tous les jours de notre existence. À travers ce processus naturel de démolissage et de reconstruction, notre squelette atteint sa force maximale dans la trentaine et commence à dépérir à partir de la quarantaine. Toutes les femmes perdent normalement de l'os en vieillissant et en perdent un peu plus à la ménopause. Lorsqu'elles nuisent à leur ossature par de mauvaises habitudes de vie, la reconstruction devient déficitaire et les pertes deviennent anormalement élevées. On parle alors d'ostéoporose (voir Chapitre 8).

Avant d'aborder cette maladie qui n'affecte qu'une femme sur quatre, parlons du fonctionnement normal de l'os et des outils qui sont à votre portée pour les conserver en forme le plus longtemps possible.

LES GRANDS RESPONSABLES DE LA SANTÉ DE L'OS

Plusieurs éléments nutritifs sont nécessaires à la croissance de l'os et à son maintien. Le calcium y joue bien entendu un rôle majeur, mais il partage la tâche avec d'autres vitamines et minéraux. Certains travaillent avec le calcium à l'édification du squelette, alors que d'autres entretiennent un environnement favorable à sa densité. Des facteurs nutritionnels et non nutritionnels interviennent à leur tour pour favoriser l'absorption des matériaux de construction. D'autres interviennent pour en réduire les pertes.

Les matériaux de construction. La construction de l'os se fait d'abord avec l'aide d'aliments riches en calcium. Plus il y a de calcium dans l'alimentation en période de croissance, plus les os sont denses un peu partout dans le squelette. Moins il y a de calcium à l'adolescence, moins il y a de substance osseuse et plus celle-ci devient mince et fragile. D'autres éléments nutritifs comme le calcium, le zinc, le manganèse, le cuivre, les vitamines C et K y participent activement (voir Tableaux 18, 19, 20, 21, 22 et 23, pages 101 à 106).

Les gardiens d'une bonne densité osseuse. Le maintien d'une bonne densité osseuse est une des grandes mesures préventives contre les fractures. Les femmes qui consomment régulièrement plus de zinc, de magnésium, de vitamines C et K ainsi que de fibres ont une densité osseuse des vertèbres significativement plus élevée que celles qui négligent ces éléments nutritifs. C'est en consommant beaucoup de fruits et légumes qu'elles réussissent à obtenir suffisamment de ces minéraux et vitamines, tout en diminuant l'acidité de leur organisme. De cette façon, elles protègent les minéraux contenus dans l'os.

La notion d'acidité dans les aliments et celle de l'acidité dans l'organisme est si mal comprise qu'il vaut la peine d'y consacrer un paragraphe. Plusieurs personnes associent à tort la consommation de fruits à saveur acide comme les oranges, les pamplemousses et les tomates à un déversement d'acide dans l'organisme. Or, c'est tout à fait le contraire. Lorsque les fruits et les légumes sont digérés et absorbés, ils diminuent l'acidité qui circule dans le sang et contribuent à protéger le calcium de l'os. Des études intéressantes l'ont vérifié.

Les alliés du calcium quant à son absorption. Le passage du calcium dans la circulation sanguine en route vers le squelette est loin d'être une opération simple et garantie. Plusieurs facteurs nutritionnels et non nutritionnels l'aident ou, au contraire, l'entravent. Parmi ses principaux collaborateurs se trouvent la vitamine D, les œstrogènes, le lactose, le magnésium, le gras et les protéines en quantités adéquates ainsi qu'une activité physique régulière. Parmi les facteurs qui lui nuisent se trouvent le stress, la maladie, la sédentarité et certains médicaments (voir Tableau 24, page 107). Pour bien absorber le calcium, il ne suffit donc pas seulement d'ingérer la bonne dose; il devient nécessaire d'avoir le plus d'alliés possibles.

Les pertes de fin de course. Et pour finir, l'organisme ne retient pas tout le calcium qu'il vient d'absorber. Il en perd un peu tous les jours dans la sueur, les selles et les urines. Les pertes urinaires peuvent à elles seules atteindre 100 à 250 mg de calcium par jour. Il est possible de réduire ces pertes en faisant attention à votre consommation de sel et de protéines. Consultez Quelques mesures de prévention, pages 97.

Les deux rôles de notre squelette

Notre squelette a, bien évidemment, un rôle de soutien qui nous permet de transporter nos muscles et notre tissu gras. C'est aussi un entrepôt pour le calcium qui doit répondre de façon prioritaire aux besoins du sang. Ce deuxième rôle affecte la solidité de l'os, car dès que le calcium fait défaut dans le sang, l'os y déverse une quantité de calcium pour protéger le fonctionnement du cerveau, des poumons et des muscles, dont le muscle cardiaque. Cette opération de sauvetage passe inaperçue jusqu'au jour où les réserves de calcium dans l'os baissent à des degrés inquiétants.

Le calcium présent dans le sang peut varier selon votre alimentation. Ainsi lorsque vous mangez trop de protéines et/ou d'aliments sucrés, vous augmentez l'acidité de l'organisme. Ce surplus d'acidité fait chuter le calcium dans le sang; le calcium de l'os vient alors rétablir l'équilibre. Si vous n'avez recours à vos réserves de calcium qu'occasionnellement, votre squelette s'adapte et ne faiblit pas tellement, mais lorsque les demandes sont fréquentes, l'os dépérit lentement mais sûrement.

La force de nos os

La force de notre squelette dépend de la densité de nos os et celle-ci relève, en grande partie, de notre consommation de calcium et de vitamine D en période de croissance. Ainsi, plus vous avez consommé de calcium à l'adolescence, plus vos os sont denses pour longtemps. Or, les enquêtes nutritionnelles des dernières années révèlent que peu de jeunes femmes atteignent une consommation adéquate de calcium, ce qui signifie que plusieurs femmes arrivent à la ménopause avec une densité osseuse assez moyenne.

La force du squelette est aussi affectée par le poids total du corps; plus le squelette a de kilos à transporter, plus il y répond en augmentant sa densité. C'est ce qui explique pourquoi les femmes fortes ont une masse osseuse plus importante que les femmes fines et minces; elles ont aussi une incidence moins élevée de fractures.

La force de l'os résulte également de l'utilisation qu'on en fait. Une femme qui utilise régulièrement ses os a des os plus forts que celle qui leur donne congé toute l'année. De fait, les os s'ajustent à vos demandes. S'ils travaillent à soutenir le poids de votre corps tous les jours ou plusieurs fois par semaine, ils raffermissent comme le font les muscles. S'ils sont laissés au repos, ils perdent de la force, faute de travail!

J'ai eu la chance d'assister à un atelier sur l'ostéoporose animé par le Dr Robert Heaney, sommité internationale dans le domaine, et de l'entendre souligner qu'*on a les os qu'on a besoin d'avoir*. J'ai pris quelques minutes à comprendre cette petite phrase, mais je ne l'ai jamais oubliée. Ce que j'en ai retenu, c'est que nous avons beaucoup de pouvoir sur la santé de nos os et qu'un bon moyen de les renforcer consiste à les utiliser régulièrement.

Les pertes normales de tissu osseux

L'os est un tissu vivant en perpétuelle reconstruction. Jusqu'au milieu de la trentaine, il y a une plus grande accumulation de tissu osseux dans le squelette et de moins grandes pertes. Dès la quarantaine, la reconstruction devient moins importante que le démolissage. L'os subit donc une perte lente et graduelle qui équivaut à une diminution d'environ 0,5 à 1 % du squelette par année. Les pertes augmentent:

- lorsque votre alimentation ne renferme pas suffisamment de calcium et d'autres vitamines et minéraux;
- lorsque votre activité physique fait défaut;
- lorsque vous fumez;
- lorsque vous êtes malade et/ou alitée;
- lorsque vous prenez régulièrement certains médicaments (Tableau 24, page 107).

Lorsque le déficit dépasse les limites fixées par l'OMS (Organisation mondiale de la santé) pour un âge donné, il s'agit d'une perte anormale qui peut mener à l'ostéoporose (voir Chapitre 8).

À la ménopause, l'os subit une autre type de perte causée par la baisse des œstrogènes. La diminution peut atteindre 3 % du squelette par année, et cela pendant environ 5 ans, et n'a pas de lien avec l'alimentation ou les autres habitudes de vie. Elle se stabilise lorsque la période de transition hormonale est terminée et que la ménopause est bien établie.

L'impact de la perte due à la baisse des hormones varie selon l'ossature de la femme avant la ménopause. Une femme qui arrive à la ménopause avec une bonne ossature peut perdre 15 % de sa masse osseuse et avoir conservé plus d'os à 60 ans qu'une jeune femme qui n'a pas une bonne masse osseuse.

Cela dit, et même en mangeant bien, il est impossible d'éviter par l'alimentation les pertes dues à la ménopause, mais il est possible de minimiser les pertes reliées aux habitudes de vie. Plus vous faites de bonnes choses pour vos os, plus vous commencez lorsque vous êtes jeune, plus vous aidez votre ossature. Mais il n'est jamais trop tard.

Quelques mesures de prévention

Prévenez l'ostéoporose et entretenez vos os comme la prunelle de vos yeux! Sachez que vous pouvez les renforcer quel que soit votre âge. Certaines des mesures préventives que vous trouverez ici ressemblent aux suggestions pour guérir l'ostéoporose (voir Chapitre 8). Sur le plan des vitamines et des minéraux recommandés, apportez d'abord quelques changements à votre alimentation avant d'avoir recours aux suppléments, car il y a moins d'urgence que dans les cas d'ostéoporose.

Pour celles d'entre vous qui avez consulté d'autres listes semblables, la liste qui suit est courte, mais tient compte de l'essentiel.

1. Augmentez votre activité physique régulière

Les recherches sont unanimes: l'activité physique est un des éléments majeurs dans le maintien d'une bonne ossature. Rien n'est aussi bénéfique.

Des chercheurs de Boston ont recruté une quarantaine de femmes de 50 à 70 ans. La moitié d'entre elles ont entrepris un programme de musculation de moins d'une heure deux fois par semaine; l'autre moitié est demeurée sédentaire. Après un an, les femmes qui avaient fait de l'exercice avaient non seulement des os plus fermes, mais une meilleure musculature. Comme le soulignait un des chercheurs, tous les moyens classiques à notre disposition pour prévenir l'ostéoporose (calcium, suppléments et médicaments) améliorent la qualité de l'os, mais l'exercice renforce à la fois les os et les muscles.

L'activité physique a aussi un effet bénéfique sur le sommeil, certaines études montrant que les personnes actives physiquement s'endorment en 15 minutes, alors que les sédentaires en prennent 30, et se réveillent moins reposées que les personnes actives.

Si vous n'êtes pas attirée par les gymnases, vous pouvez quand même augmenter votre activité. Trouvez toutes les excuses pour utiliser vos jambes et vos muscles; portez vos paquets au lieu de les faire livrer; laissez votre voiture à la maison et prenez les transports en commun; montez les escaliers au lieu de prendre les escaliers mobiles ou l'ascenseur; planifiez des courses qui imposent dix à quinze minutes de marche plusieurs fois par semaine; recrutez un ou une amie pour des randonnées pédestres à la ville comme à la campagne; reprenez un sport qui vous faisait plaisir, mais que vous avez délaissé il y a quelques années.

Essayez d'atteindre 3 heures d'exercice par semaine. Notez le compte sur votre agenda ou un calendrier pour vous encourager. Conservez cette nouvelle routine douze mois par année.

2. Prenez de 1000 à 1200 mg de calcium tous les jours

Évaluez votre consommation actuelle en notant sur papier pendant quelques jours ce que vous mangez habituellement. Si vous consommez déjà la quantité requise, passez au prochain point; sinon consultez les propositions suivantes qui vous fournissent chacune 1000 mg de calcium et faites votre choix! Vous pouvez aussi construire votre propre menu riche en calcium en vous référant aux Tableaux 18 et 25, pages 101 et 108.

3. N'oubliez pas la vitamine D; prenez-en 400 UI par jour

La vitamine D permet l'absorption du calcium et demeure sa coéquipière essentielle. Consultez le Tableau 26, page 109 pour mieux la connaître.

4. Mangez au moins six portions de fruits et légumes par jour

Les fruits et légumes vous apportent des vitamines et des minéraux qui contribuent – avec le calcium – au maintien de la densité osseuse. De plus, ils réduisent l'acidité de votre organisme et protègent le calcium entreposé dans vos os. Vous ne pouvez vous en passer. Choisissez les plus riches en éléments nutritifs et variez selon les saisons. Pensez plus souvent:

- aux agrumes comme l'orange, les clémentines, le pamplemousse, les limes et le citron;
- aux légumes verts feuillus comme les épinards, la bette à carde, le chou frisé, le chou cavalier, les feuilles de pissenlit et la roquette;
- aux légumes crucifères comme le brocoli, le chou-fleur, les choux de Bruxelles et le chou vert ou rouge;
- aux baies comme les fraises et les mûres;
- aux fruits secs comme les figues et les raisins secs.

Consultez aussi les Tableaux 22 et 23, pages 105-106 qui vous donnent les meilleures sources de vitamine C et K ainsi que les meilleures sources de zinc, de manganèse et de cuivre (voir Tableaux 19, 20 et 21, pages 102 à 104). Ce sont tous des éléments importants en ce qui concerne la densité osseuse.

5. Mangez régulièrement des aliments riches en boron

La consommation d'aliments riches en boron semble diminuer les pertes urinaires de calcium. Un apport de 3 mg par jour suffit pour remplir cette tâche. Vous atteignez facilement cette dose en mangeant tous les jours suffisamment de fruits et de légumes ainsi que quelques noix et fruits secs. Voir Tableau 13, page 70.

6. Modérez votre consommation de protéines et de sodium

Selon le Dr Robert Heaney de l'Université Creighton, les deux habitudes alimentaires qui sont à surveiller de très près pour minimiser les pertes urinaires de calcium sont la consommation excessive de protéines et de sodium.

Les femmes inuites qui consomment beaucoup de protéines animales (au moins 200 g par jour) ont une masse osseuse de 10 à 15 % moins élevée que celle des femmes blanches du même âge; elles présentent plus de fractures de vertèbres.

Si vous prenez environ 60 g de protéines par jour tel qu'il est suggéré au Chapitre 3 pour maintenir une bonne énergie, vous ne faites pas d'excès. Vous pouvez manger un peu de viande, de volaille ou de poisson, mais n'oubliez pas d'inclure à votre menu des protéines végétales comme les légumineuses, le soya et les noix, car elles suscitent moins de pertes urinaires de calcium.

Quant au sodium, limitez votre consommation à un apport de 2000 à 3000 mg par jour. Consultez le Tableau 27, page 110.

Nos os exigent un peu de soins et beaucoup d'exercice afin de ne pas devenir trop fragiles.

Tableau 18
Sources alimentaires de calcium*

Aliment	Portion		Calcium (mg)
Fruits et légumes			
Feuilles de betteraves cuites	150 g	1 tasse	173
Chou frisé (kale), cuit	130 g	1 tasse	148
Feuilles de pissenlits cuites	150 g	1 tasse	147
Bette à carde cuite	180 g	1 tasse	146
Figues séchées	5	5	135
Brocoli cuit	80 g	1/2 tasse	94
Orange	1	1	48
Mûres	140 g	1 tasse	46
Raisins secs	90 g	1/2 tasse	43
Produits céréaliers			
Crème de blé, cuite	125 ml	1/2 tasse	102
Muffin au son	1 moyen	1 moyen	57
Céréales All Bran	40 g	1/2 tasse	38
Riz blanc enrichi, cuit	180 g	1 tasse	35
Bagel	1	1	29
Pain de blé entier	1 tranche	1 tranche	25
Viande et autres sources de protéines			
Sardines en conserve avec les arêtes	90 g	3 oz	393
Saumon en conserve avec les arêtes	90 g	3 oz	183
Tofu ferme ordinaire	120 g	4 oz	154
Hareng en conserve avec les arêtes	90 g	3 oz	132
Haricots pinto cuits	180 g	1 tasse	130
Pétoncles ou crevettes cuites	90 g	3 oz	101
Haricots blancs, cuits	180 g	1 tasse	98
Graines de sésame séchées	8 g	1 c. à soupe	88
Huîtres crues	90 g	3 oz	85
Pois chiches, cuits	180 g	1 tasse	84
Produits laitiers			
Lait enrichi de calcium	250 ml	1 tasse	425
Ricotta	135 g	1/2 tasse	337
Lait à 2 %, à 1 % ou écrémé	250 ml	1 tasse	315
Yogourt nature	125 g	1/2 tasse	237
Cheddar	30 g	1 oz	216
Provolone	30 g	1 oz	214
Poudre de lait écrémé	16 g	2 c. à soupe	183
Kéfir	125 g	1/2 tasse	175
Autres			
Mélasse noire *(blackstrap)*	15 ml	1 c. à soupe	138

* Apport suffisant en calcium: 1000 mg/jour (31-50 ans)
(RDI 1997) 1200 mg/jour (51 ans et plus)

Tableau 19
Sources alimentaires de zinc*

Aliment	Portion		Zinc (mg)
Fruits et légumes			
Pois verts, cuits	80 g	1/2 tasse	1,0
Épinards cuits	90 g	1/2 tasse	0,7
Chou cavalier (collard) cru	20 g	1/2 tasse	0,6
Jus de pruneau	250 ml	1 tasse	0,6
Figues séchées	5	5	0,5
Avocat	1/2 moyen	1/2 moyen	0,4
Cantaloup	1/2	1/2	0,4
Courgette cuite	90 g	1/2 tasse	0,4
Banane	1 moyenne	1 moyenne	0,4
Produits céréaliers			
Farine de seigle foncée	65 g	1/2 tasse	3,6
Germe de blé	30 g	1/4 tasse	2,5
Riz sauvage, cuit	160 g	1 tasse	2,2
Céréales All Bran	20 g	1/4 tasse	1,4
Riz brun, cuit	190 g	1 tasse	1,2
Blé filamenté	1 biscuit	1 biscuit	0,6
Orge mondé, cuit	100 g	1/2 tasse	0,6
Bagel	1	1	0,5
Viande et autres sources de protéines			
Huîtres de l'Atlantique crues	90 g	3 oz	82,0
Foie (veau ou porc) cuit	90 g	3 oz	6,2
Bœuf haché extra-maigre, cuit	90 g	3 oz	4,6
Crabe cuit	90 g	3 oz	3,8
Dinde cuite	90 g	3 oz	2,8
Pois chiches, cuits	180 g	1 tasse	2,5
Palourdes cuites	90 g	3 oz	2,5
Porc ou poulet cuit	90 g	3 oz	1,9
Crevettes cuites	90 g	3 oz	1,6
Haricots rouges, cuits	180 g	1 tasse	1,5
Haricots noirs, cuits	180 g	1 tasse	0,9
Œuf cuit	1	1	0,6
Produits laitiers			
Fromage de yogourt	100 g	1/2 tasse	1,9
Ricotta partiellement écrémée	135 g	1/2 tasse	1,7
Yogourt nature	175 ml	3/4 tasse	1,4
Gouda	30 g	1 oz	1,1
Lait à 2 %	250 ml	1 tasse	0,9

* Apport nutritionnel recommandé: 9 mg / jour (Canada 1990)

Tableau 20
Sources alimentaires de manganèse*

Aliment	Portion		Manganèse (mg)
Fruits et légumes			
Ananas frais ou jus	80 g	1/2 tasse	1,3
Mûres	70 g	1/2 tasse	1,0
Épinards cuits	90 g	1/2 tasse	0,9
Chicorée	50 g	1 tasse	0,8
Okra cuit	90 g	1/2 tasse	0,8
Framboises	60 g	1/2 tasse	0,7
Patate douce en purée	125 g	1/2 tasse	0,6
Chou vert frisé, cuit	150 g	1 tasse	0,6
Épinards crus	60 g	1 tasse	0,5
Jus de raisin	125 ml	1/2 tasse	0,5
Pois verts, cuits	80 g	1/2 tasse	0,4
Produits céréaliers			
Pâtes alimentaires de blé entier, cuites	140 g	1 tasse	2,0
Céréales Raisin Bran	55 g	1 tasse	2,0
Riz brun, cuit	190 g	1 tasse	1,9
Son de riz	15 ml	1 c. à soupe	1,5
Gruau à cuisson rapide, cuit	240 g	1 tasse	1,5
Céréales All Bran	20 g	1/4 tasse	1,2
Céréales Mini-Wheats	10 biscuits	10 biscuits	0,8
Son de blé	30 ml	2 c. à soupe	0,8
Millet cuit	240 g	1 tasse	0,7
Céréales Cheerios ou Spécial K	25 g	1 tasse	0,6
Pain pita	1	1	0,4
Viande et autres sources de protéines			
Haricots de Lima, cuits	180 g	1 tasse	2,3
Pois chiches, cuits	180 g	1 tasse	1,5
Haricots blancs, cuits	180 g	1 tasse	1,2
Tofu ordinaire, ferme	100 g	3,5 oz	1,2
Lentilles cuites	180 g	1 tasse	1,0
Pacanes	18 g	2 c. à soupe	0,6
Foie (agneau ou bœuf), cuit	90 g	3 oz	0,5
Pignons de pin ou graines de citrouille	8 g	1 c. à soupe	0,4
Arachides ou graines de tournesol	16 g	2 c. à soupe	0,4
Beurre d'amande	15 ml	1 c. à soupe	0,4
Autres			
Thé infusé	250 ml	1 tasse	0,6

* Apport nutritionnel recommandé: 3,5 mg/jour
(Cabada 1990)

Tableau 21
Sources alimentaires de cuivre*

Aliment	Portion		Manganèse (mg)
Fruits et légumes			
Pomme de terre cuite au four	1	1	0,6
Jus de légumes	250 ml	1 tasse	0,5
Avocat	1	1	0,5
Épinards cuits	180 g	1 tasse	0,3
Pomme de terre bouillie	1	1	0,2
Mûres fraîches	140 g	1 tasse	0,2
Chou frisé (kale), cuit	130 g	1 tasse	0,2
Poire	1	1	0,2
Mangue	170 g	1 tasse	0,2
Champignons	35 g	1/2 tasse	0,2
Ananas	160 g	1 tasse	0,2
Asperges	90 g	1/2 tasse	0,1
Produits céréaliers			
Farine de soya	40 g	1/2 tasse	1,6
Riz sauvage, cuit	160 g	1 tasse	0,6
Orge mondé, cuit	100 g	1/2 tasse	0,2
Pâtes alimentaires de blé entier, cuites	140 g	1 tasse	0,2
Riz brun, cuit	190 g	1 tasse	0,2
Gruau cuit	240 g	1 tasse	0,2
Germe de blé	30 g	1/4 tasse	0,1
Viande et autres sources de protéines			
Foie de veau cuit	90 g	3 oz	8,4
Huîtres de l'Atlantique crues	90 g	3 oz	4,0
Foie de bœuf cuit	90 g	3 oz	2,4
Palourdes cuites	90 g	3 oz	0,7
Crabe cuit	90 g	3 oz	0,6
Pois chiches, cuits	180 g	1 tasse	0,6
Foie de porc cuit	90 g	3 oz	0,5
Haricots rouges, cuits	180 g	1 tasse	0,4
Tofu ordinaire	100 g	3,5 oz	0,4
Graines de citrouille rôties	18 g	2 c. à soupe	0,4
Haricots de Lima cuits	180 g	1 tasse	0,4
Boisson de soya	250 ml	1 tasse	0,3
Noix mélangées	18 g	2 c. à soupe	0,2
Crevettes cuites	90 g	3 oz	0,2

* Apport nutritionnel recommandé: 2 mg / jour (Canada 1990)

Tableau 22
Sources alimentaires de vitamine C*

Aliment	Portion		Vitamine C (mg)
Fruits et légumes			
Poivron rouge	80 g	½ tasse	95
Fraises	150 g	1 tasse	85
Brocoli cuit	160 g	1 tasse	82
Kiwi	1	1	75
Orange	1	1	70
Cantaloup	160 g	1 tasse	68
Choux de Bruxelles cuits	80 g	½ tasse	48
Pamplemousse	1	1	47
Mangue	170 g	1 tasse	46
Chou rouge	70 g	1 tasse	40
Chou-fleur	50 g	½ tasse	36
Chou vert	70 g	1 tasse	33
Framboises	65 g	½ tasse	31
Pomme de terre cuite au four	1	1	26
Ananas	160 g	1 tasse	24
Asperges	90 g	½ tasse	22
Tomate	1	1	22
Cerises	170 g	1 tasse	13
Canneberges	195 g	1 tasse	13
Pomme	1	1	8
Poire	1	1	7
Pêche	1	1	6
Prune	1	1	6
Sources de protéines			
Haricots de Lima cuits	180 g	1 tasse	17
Lentilles cuites	180 g	1 tasse	13

* Apport nutritionnel recommandé: 40 mg / jour (Canada 1990)

Tableau 23
Sources alimentaires de vitamine K

Aliment	Portion		Vitamine K (μg)
Fruits et légumes			
Épinards crus	100 g	1 tasse	298
Chou vert frisé, cru	100 g	1 tasse	195
Brocoli cru	90 g	1 tasse	176
Chou	70 g	1 tasse	104
Chou-fleur	100 g	1 tasse	96
Laitue iceberg	60 g	1 tasse	67
Asperges fraîches	4 pointes	4 pointes	39
Tomate	1	1	28
Fraises	150 g	1 tasse	21
Haricots verts, cuits	70 g	1/2 tasse	14
Carotte	1	1	9
Betteraves	2 moyennes	2 moyennes	8
Pomme de terre cuite au four	1	1	8
Orange	1	1	7
Pomme	1	1	4
Champignons	35 g	1/2 tasse	3
Produits céréaliers			
Farine de blé entier	60 g	1/2 tasse	18
Son de blé	12 g	1/4 tasse	8
Germe de blé	30 g	1/4 tasse	7
Viande et autres sources de protéines			
Lentilles sèches	100 g	1/2 tasse	214
Fèves de soya sèches	100 g	1/2 tasse	177
Pois chiches, secs	100 g	1/2 tasse	132
Foie de bœuf cru	90 g	3 oz	88
Jaune d'œuf cru	1 gros	1 gros	25
Bœuf haché, cru	100 g	3,5 oz	4
Produits laitiers			
Lait écrémé	250 ml	1 tasse	10
Autres			
Huile de canola	15 ml	1 c. à soupe	115
Huile de soya	15 ml	1 c. à soupe	68
Huile d'olive	15 ml	1 c. à soupe	8
Huile de maïs	15 ml	1 c. à soupe	7
Miel	15 ml	1 c. à soupe	5

Tableau 24
Médicaments qui affectent le calcium

Médicament	Effets
Antiacides à base d'aluminium Maalox, Mylanta, Amphojel, Lait de magnésie	Augmentent les pertes de calcium
Antibiotiques Tétracycline, Novotétra, Erythromycine, Erythrocine, E-Mycine, Isoniazide, Isotamine	Diminuent l'absorption du calcium
Anticoagulants Héparine, Hépalen	Augmentent les pertes de calcium
Certains hypolipidémiants Cholestyramine, Questran	Augmentent les pertes de calcium
Certains diurétiques Furosémide, Lasix, Uritol Groupe des thiazides, Thiazide	Augmentent les pertes urinaires de calcium Diminuent les pertes de calcium dans l'urine
Préparations hormonales Corticostéroïdes, Cortisone, Prednisone Synthroid	Augmentent la perte d'os trabéculaire Augmente la perte osseuse

* Source: Herbert and Subak-Sharpe, *Total Nutrition,* New York, St-Martin's Griffin, 1995.

Tableau 25
Différentes propositions de 1000 mg de calcium

Proposition n° 1		
Aliment	**Portion**	**Calcium (mg)**
Lait enrichi de calcium	250 ml (1 tasse)	425
Saumon sockeye en conserve avec les arêtes	100 g (3,5 oz)	242
Chou cavalier (collard), cuit	130 g (1 tasse)	179
Fromage ricotta partiellement écrémé	70 g (1/4 tasse)	167
Amandes	35 g (1/4 tasse)	100
Proposition n° 2		
Aliment	**Portion**	**Calcium (mg)**
Yogourt nature	175 g (3/4 tasse)	292
Fromage cheddar	30 g (1 oz)	220
Poudre de lait écrémé	16 g (2 c. à soupe)	183
Haricots blancs, cuits	180 g (1 tasse)	170
Orange	1	52
Pain de blé entier	2 tranches	50
Brocoli cuit	80 g (1/2 tasse)	38
Proposition n° 3		
Aliment	**Portion**	**Calcium (mg)**
Lait	250 ml (1 tasse)	315
Yogourt nature	125 g (1/2 tasse)	237
Tofu ordinaire, ferme	100 g (3,5 oz)	150
Figues séchées	5	135
Chou frisé (kale), cuit	65 g (1/2 tasse)	103
Graines de sésame	40 g (1/4 tasse)	52
Riz cuit	190 g (1 tasse)	24
Proposition n° 4		
Aliment	**Portion**	**Calcium (mg)**
Sardines en conserve avec les arêtes	90 g (3 oz)	393
Boisson de soya enrichie de calcium	250 ml (1 tasse)	300
Bette à carde cuite	130 g (1 tasse)	146
Mélasse noire (*blackstrap*)	15 ml (1 c.à soupe)	138
Haricots rouges, cuits	90 g (1/2 tasse)	58

Tableau 26
Aliments riches en vitamine D*

Aliment	Portion		Vitamine D (UI)
Anguille fumée	30 g	1 oz	1814
Saumon rose, cuit	100 g	3,5 oz	679
Hareng cru	30 g	1 oz	255
Lait à 2 %	250 ml	1 tasse	106
Sardines en conserve avec les têtes	30 g	1 oz	85
Jaune d'œuf	1	1	27
Foie de veau	90 g	3 oz	12
Huîtres crues	4	4	3

Suppléments de vitamine D

Produit	Quantité	Vitamine D (UI)
Huile de foie de morue	5 ml	400
Huile de foie de flétan (Swiss)	1 capsule	400
Vitamine D (Swiss)	1 capsule	300
Huile de foie de morue (Swiss)	1 capsule	100
Huile de foie de morue (Jamieson)	1 capsule	100
Huile de foie de morue (PiLeJe)	1 ml	75 à 275

Exposition au soleil
2 à 3 fois la semaine pendant 10 à 15 minutes, sans écran solaire, entre 8 h et 16 h (visage, bras, mains)

* Apport suffisant en vitamine D: 200 UI / jour 20-50 ans
(Washington 1997) 400 UI / jour 51-70 ans
600 UI / jour 71 ans et plus

Tableau 27
Contenu en sodium de quelques aliments

Aliment	Portion		Sodium (mg)
Sandwich jambon et fromage	1	1	1542
Sandwich au fromage grillé	1	1	1169
Sauce soya ou tamari	15 ml	1 c. à soupe	1017
Crème de poulet	250 ml	1 tasse	870
Cornichon à l'aneth	1 moyen	1 moyen	833
Jambon cuit en tranches	60 g	2 oz	746
Pois chiches en conserve	180 g	1 tasse	718
Pizza	1 pointe	1 pointe	699
Saumon fumé	90 g	3 oz	666
Saucisse fumée (bœuf et porc)	1 (68 g)	1 (2 oz)	642
Miso	15 ml	1 c. à soupe	603
Olives vertes	5	5	468
Fromage parmesan râpé	25 g	1/4 tasse	465
Fromage cottage	135 g	1/2 tasse	459
Croissant	1	1	452
Fromage fondu en tranches	1 tranche	1 tranche	406
Pomme de terre en purée (sel et lait)	160 g	1/2 tasse	318
Fromage feta	30 g	1 oz	316
Anchois en conserve dans l'huile	2	2	300
Sauce soya réduite en sodium	15 ml	1 c. à soupe	300
Thon pâle en conserve dans l'eau	90 g	3 oz	300
Asperges en conserve	120 g	1/2 tasse	284
Sauce barbecue	30 ml	2 c. à soupe	258
Croustilles	20 (40 g)	20 (1 1/2 oz)	214
Vinaigrette César	30 ml	2 c. à soupe	206
Ketchup	15 ml	1 c. à soupe	202
Croûtons assaisonnés	15 g	1/2 tasse	200
Moutarde	15 ml	1 c. à soupe	188
Pain de blé entier	1 tranche	1 tranche	180
Fromage cheddar	30 g	1 oz	176
Lait à 2%	250 ml	1 tasse	122
Beurre	15 ml	1 c. à soupe	116
Yogourt aux fruits	175 g	3/4 tasse	88
Poulet cuit	90 g	3 oz	77
Arachides rôties, salées	30 ml	2 c. à soupe	71
Riz brun, cuit	1	1	62

Tableau 27 (suite)
Contenu en sodium de quelques aliments

Aliment	Portion		Sodium (mg)
Œuf à la coque	1	1	62
Yogourt glacé	90 g	½ tasse	45
Épinards frais	100 g	1 tasse	44
Saumon de l'Atlantique en conserve	90 g	3 oz	36
Carotte crue	1	1	25
Tofu ferme	120 g	4 oz	17
Pomme de terre cuite au four	1	1	16
Brocoli frais	80 g	½ tasse	12
Tomate	1	1	11
Pois chiches, cuits	180 g	1 tasse	11
Céréales Shredded Wheat	2 biscuits	2 biscuits	8
Asperges cuites	90 g	½ tasse	4
Kiwi	1	1	4
Eau de source gazéifiée Perrier	250 ml	1 tasse	2
Crème de blé cuite	240 g	1 tasse	2
Pâtes alimentaires, cuites sans sel	140 g	1 tasse	1
Pomme	1	1	1
Poire	1	1	1

CHAPITRE 8

Comment soigner l'ostéoporose

L'ostéoporose est une maladie qui gruge l'ossature lentement, mais sûrement. Elle affecte une femme sur quatre et se manifeste habituellement à partir de l'âge de 70 ans. On dit de l'ostéoporose que c'est une maladie de femme, puisqu'elle touche deux fois plus de femmes que d'hommes.

Une définition

L'ostéoporose est une maladie silencieuse qui se caractérise par une perte *anormalement* élevée de matière osseuse, alors qu'au chapitre précédent, on a parlé de pertes *normales* d'os liées au vieillissement et à la ménopause. Cette maladie est caractérisée par une diminution importante de la masse osseuse et par une détérioration de l'architecture interne des os, deux conditions qui augmentent la fragilité de l'os et les risques de fractures.

L'os malade ressemble à un morceau de gruyère, dont les trous sont devenus énormes. Résultat: il se brise plus facilement. Cette fragilisation graduelle de l'os peut s'accompagner de douleurs, d'une déformation de la colonne vertébrale due à de petites fractures silencieuses, d'une diminution de la taille de quelques centimètres et finalement de fractures plus importantes.

Les fractures les plus fréquentes surviennent aux vertèbres à partir de l'âge de 50 ans, au poignet avant l'âge de 65 ans et à la hanche après l'âge de 80 ans. Les fractures qui se produisent après la ménopause ne sont pas toutes causées par l'ostéoporose, mais elles le sont souvent.

Les facteurs de risque

Comme dans toutes les maladies, certaines femmes sont plus vulnérables que d'autres. De façon générale, celles qui possèdent les caractéristiques suivantes courent plus de risques de souffrir d'ostéoporose.

La minceur. Les femmes minces ont une masse osseuse moins importante que les femmes fortes. Elles ont également moins de tissus mous (gras) pour enrober les os et les protéger en cas de chute. Une étude récente menée pendant 5 ans auprès de 8000 femmes de 65 ans et plus le confirme après avoir observé que les femmes fortes avaient deux fois moins de fractures que les minces. C'est pour cette raison que les experts en ostéoporose aiment voir les femmes arrondir plutôt que maigrir lorsqu'elles ont franchi le cap de la cinquantaine.

La race blanche. Les femmes de race blanche ou d'origine asiatique ont une masse et une densité osseuse inférieures à celles des femmes de race noire.

L'hérédité. Une femme dont la mère ou les tantes ont eu des déformations osseuses ou des fractures est plus à risque qu'une autre femme sans histoire familiale.

L'apport inadéquat de calcium et d'autres éléments nutritifs. Une femme qui n'a pas pris la dose requise des éléments nutritifs importants (voir Chapitre 7) a une masse osseuse moins importante et devient plus vulnérable aux pertes de matière osseuse.

La sédentarité. Moins on demande d'efforts au squelette, moins l'os conserve sa densité et sa force. Plus il y a de demandes, plus il demeure fort et dense. Or, selon l'Institut canadien de la recherche sur la condition physique et le mode de vie, les deux tiers des Canadiens et Canadiennes sont physiquement inactifs et ils le deviennent davantage avec l'âge.

Le tabagisme. Le tabac, ou plus précisément la nicotine, réduit l'utilisation de calcium et diminue la quantité d'œstrogènes en circulation. Un résumé d'une cinquantaine d'études faites sur la densité osseuse de femmes fumeuses et non fumeuses était publié récemment dans le *British Medical Journal.* Les auteurs concluent qu'avant la ménopause, les fumeuses et les nonfumeuses ont une densité osseuse et un risque de fractures assez comparables, mais qu'après la ménopause, les fumeuses perdent 2 % de plus de leur ossature tous les 10 ans et voient leurs risques de fractures augmenter de 17 % à 60 ans, de 41 % à 70 ans et de 71 % à 80 ans. Les auteurs ajoutent qu'une fracture sur huit est attribuable à la nicotine chez les fumeuses ménopausées.

D'autres facteurs qui prédisposent

Étant donné l'importance du calcium pour la santé de l'os, tout ce qui peut nuire à son absorption ou augmenter son élimination risque d'envenimer la situation.

- Certaines conditions comme une diarrhée chronique ne permettent plus une absorption adéquate de calcium.
- Certains médicaments comme les corticostéroïdes, les anticonvulsivants, les fortes doses d'extraits thyroïdiens et les antiacides à base d'aluminium nuisent à l'absorption du calcium (voir Tableau 24, page 107).
- L'état émotionnel peut également jouer. Le stress, l'angoisse, le chagrin et l'ennui peuvent réduire l'absorption intestinale du calcium. Le Dr David Michelson a même observé qu'une femme déprimée n'avait pas la même densité osseuse qu'une femme du même âge et de la même taille.

Comment savoir si vous faites de l'ostéoporose

L'ostéoporose peut être aussi silencieuse que des problèmes de cholestérol. Rien ne fait mal avant la fracture ou l'infarctus. Or, la médecine préventive d'aujourd'hui permet de déceler le problème avant qu'il soit trop tard.

L'analyse sanguine ne donne pas d'indication pertinente. Une valeur sanguine normale en ce qui a trait au calcium ne révèle rien, alors que d'autres examens peuvent déceler des pertes importantes de calcium de l'os.

Une simple radiographie des os n'est pas fiable, elle non plus, car elle n'est pas assez sensible pour détecter de petites pertes osseuses. Lorsqu'elle décèle une perte, celle-ci est déjà très importante.

L'ultrason du talon est une nouvelle méthode peu coûteuse qui peut mesurer la densité osseuse du talon en immergeant celui-ci dans un bassin d'eau chaude dans lequel passent des sons à haute fréquence. Cette méthode permet d'évaluer la solidité et la densité de l'os du talon, mais elle ne permet pas d'identifier le degré d'ostéoporose comme peut le faire l'ostéodensitométrie. Elle peut toutefois être utile comme premier outil de dépistage.

L'ostéodensitométrie permet de mesurer la masse osseuse avec l'aide d'une faible dose de radiation; elle peut établir un diagnostic de risque de fracture. À l'heure actuelle, la technique d'ostéodensitométrie la plus utilisée et la plus précise s'appelle DEXA ou examen à double rayons X; elle évalue la densité osseuse de la colonne et/ou des hanches, mais peut aussi être utilisée pour d'autres mesures.

Une fois l'examen terminé, vos os sont comparés à ceux d'un jeune adulte de 35-40 ans ayant une masse osseuse optimale. Bien qu'il soit normal que vous ayez perdu une certaine masse osseuse avec l'âge, cette comparaison permet de déterminer si vos pertes sont acceptables ou plus rapides que prévu pour votre âge. C'est l'Organisation mondiale de la santé qui a mis au point cette classification des mesures de pertes osseuses qui sert maintenant de référence partout dans le monde pour détecter si vous faites de l'ostéoporose ou non.

Une masse osseuse normale a une densité d'environ 1 g/cm^2. Toute déviation de cette norme devient un signe d'anormalité et est exprimée en écart type (ET) ou en Standard Deviation (SD) en anglais.

- Si votre masse osseuse se situe très près de la masse osseuse normale, soit entre (-1) et (+1), votre risque de fracture est très faible et vous ne faites pas d'ostéoporose.
- Si vos résultats dévient un peu de la norme, soit entre (-1) et (-2,5), votre masse osseuse est affaiblie et votre risque de fracture est légèrement augmenté. Vous ne faites pas d'ostéoporose, mais vous faites de l'*ostéopénie*.
- Si vos résultats s'éloignent encore plus du (-2,5), vous faites de l'ostéoporose et votre risque de fracture est plus élevé.

Comment réduire la progression de l'ostéoporose

Si l'ostéodensitométrie révèle que vous avez un problème d'ostéopénie ou d'ostéoporose, ne vous découragez pas, car vous pouvez ralentir la progression de la maladie, améliorer votre masse osseuse et réduire vos risques de fractures. Il n'est jamais trop tard pour agir! Plusieurs interventions faites chez des femmes âgées vulnérables ont démontré qu'il est possible d'abaisser de façon significative l'incidence des fractures.

Le plan d'attaque que je vous suggère comporte des ajustements alimentaires adéquats, la prise de suppléments appropriés, s'il y a lieu, et une augmentation importante de l'activité physique. Je vous recommande également de cesser de fumer.

Certains médicaments à base de biophosphates comme l'étidronate (Didronel), l'étidronate et calcium (Didrocal) et l'alendronate (Fosamax) peuvent être utiles et sont tout aussi efficaces que les œstrogènes de remplacement pour minimiser les pertes osseuses.

Quelques pistes de solution

1. Prenez entre 1200 et 1500 mg de calcium par jour

Une addition adéquate de calcium à votre quotidien peut ralentir les pertes de 30 à 50 %, ce qui n'est pas négligeable.

Si votre consommation de produits laitiers est abondante, vérifiez votre apport de calcium et ajustez votre consommation de lait en conséquence. Si vous avez délaissé le lait ou que vous ne prenez presque jamais de yogourt ni de fromage, consultez les autres propositions riches en calcium et enrichissez votre menu de légumes verts feuillus, de brocoli, de boisson de soya, etc. Si vous n'arrivez pas, pour diverses raisons, à manger assez régulièrement d'aliments riches en calcium, prenez un supplément de calcium et prenez-le au bon moment (voir Tableaux 28 et 29, pages 122-123).

Si vous entendez dire que la consommation de calcium n'est pas si importante que ça et que plusieurs populations féminines s'en tirent mieux avec moins de produits laitiers, ne changez pas de cap trop rapidement. Quand on examine le cas des Chinoises qui consomment moins de calcium et dont l'incidence d'ostéoporose est moins élevée que celle des Canadiennes, il faut tenir compte de la très grande activité physique de ces femmes qui n'a rien à voir avec notre style de vie plutôt sédentaire. Par ailleurs, une étude menée dans cinq régions de la Chine démontre que même là, la densité osseuse des femmes âgées est plus importante lorsque la consommation de produits laitiers a été plus élevée tout au cours de la vie de ces femmes.

Si vous prenez des hormones de remplacement, vous devez quand même augmenter votre consommation de calcium, car les œstrogènes seuls ne font pas un travail optimal. Un résumé d'une vingtaine d'études sur la question a conclu qu'un apport d'au moins 1200 mg de calcium par jour ajoutée à l'hormonothérapie peut régénérer plus efficacement la masse osseuse. En ce qui concerne la colonne vertébrale, l'augmentation de la masse osseuse était de 3,3 % par année quand on administrait la bonne dose de calcium, comparativement à 1,3 % quand les œstrogènes seuls étaient utilisés; dans le cas de la hanche, on notait une augmentation de 2,4 % de la masse osseuse par année, comparativement à 0,9 % sans l'aide du calcium.

2. N'oubliez jamais la vitamine D; prenez-en 800 UI par jour

La vitamine D constitue la partenaire indispensable du calcium, car elle stimule son absorption et aide à maintenir l'intégrité du squelette. Une recherche menée auprès de 400 personnes âgées a montré qu'un supplément de vitamine D donné en plus d'un supplément de calcium pouvait, sur une période de 3 ans, réduire de moitié l'incidence de fractures autres que vertébrales. Or, la vitamine D fait facilement défaut. Pour remédier à cette déficience fort répandue, le comité d'experts canadiens et américains du National Academy of Sciences a, à l'été 1997, rehaussé les apports quotidiens. Il recommande maintenant de prendre:

200 UI par jour entre 19 et 50 ans;
400 UI par jour entre 51 et 70 ans;
600 UI par jour après 71 ans.

Cette vitamine n'est pas une vitamine comme les autres, puisqu'elle nous parvient des rayons du soleil qui provoquent la conversion spontanée d'une substance sous la peau; cette substance qui était inactive jusque-là devient une vitamine active.

Vous ne pouvez pas toujours compter sur les rayons du soleil, car ils nous jouent des tours. Dans les régions voisines de l'équateur, les rayons ne font jamais défaut. Dans les régions situées au nord du 40e parallèle (New York, Montréal, Paris, Londres ou Bejing), les rayons solaires ne permettent pas la formation de vitamine D pendant les mois d'hiver, soit du mois d'octobre au mois de mars. En pleine saison d'été, les rayons solaires ne traversent pas les écrans solaires ou les peaux plus foncées; ils ne sont donc plus d'une grande utilité.

Certains aliments renferment de la vitamine D comme les huiles de foie de morue et de flétan, le hareng, le maquereau, les sardines, le saumon, le jaune d'œuf et le beurre. Cette vitamine est aussi obligatoirement ajoutée à tous les laits de consommation, qu'ils soient écrémés, en poudre, concentrés ou entiers (un verre fournit environ 100 UI). La vitamine D est aussi maintenant ajoutée à certaines boissons de soya.

Son action est particulièrement remarquable lorsque l'apport de calcium n'est pas tellement élevé. Considérant que la consommation de calcium est rarement suffisante, ne courez pas le risque d'en manquer et n'attendez pas le soleil. Si vous faites de l'ostéoporose, prenez 800 UI de vitamine D par jour. Pour atteindre une telle dose, vous devez avoir recours à un supplément (voir Tableau 26, page 109).

3. Augmentez votre apport de zinc, de cuivre et de manganèse

Le calcium a beaucoup d'effet sur la santé de l'os, mais il ne règle pas tout. Il doit avoir la collaboration de la vitamine D et peut agir encore plus efficacement lorsque l'apport de zinc, de cuivre et de manganèse est ajusté.

Une recherche menée en Californie il y a quelques années auprès de femmes ménopausées a vérifié l'effet combiné du calcium et de ces autres minéraux. Soixante femmes ménopausées depuis au moins 6 ans ont été suivies et ont pris différents suppléments; certaines prenaient un placebo, soit un faux supplément; d'autres ne recevaient qu'un supplément de 1000 mg de calcium; d'autres y ajoutaient un supplément de 15 mg de zinc, 5 mg de manganèse et 2,5 mg de cuivre. Aucune ne recevait d'hormones. L'étude était à double insu, c'est-à-dire que ni les chercheurs ni les femmes ne savaient quels suppléments elles prenaient. La densité osseuse de la colonne vertébrale a été mesurée au début de l'étude et après deux ans. Les chercheurs ont noté chez les femmes qui avaient pris le calcium seul ou les minéraux seuls des pertes osseuses moins grandes que chez les femmes qui n'avaient rien pris du tout; par ailleurs, ils ont observé une nette augmentation de la densité osseuse chez celles qui prenaient les deux suppléments combinés.

Vous pouvez enrichir votre menu d'aliments riches en zinc, en manganèse et en cuivre (voir Tableaux 19, 20 et 21, pages 102 à 104). Vous pouvez également trouver sur le marché des multivitamines et minéraux qui renferment, entre autres, les 15 mg de zinc, 5 mg de manganèse et 2,5 mg de cuivre.

4. Minimisez les pertes de calcium

Réduisez votre consommation de sodium. Comme vous l'avez vu précédemment, le calcium n'est ni facile à prendre en quantité suffisante ni facile à absorber. Il n'est également pas facile à retenir. Nous en perdons dans les selles, l'urine et la sueur, mais nous n'avons que quelques possibilités pour minimiser ces pertes. L'une d'elles consiste à manger moins salé.

Chaque 100 mg de sodium présent dans vos aliments vous fait perdre 1 mg de calcium dans vos urines. Plus vous mangez salé, plus vous perdez de calcium. Si vous avez l'habitude de manger plusieurs aliments cuisinés (fast-food, repas surgelés, repas au restaurant) ou encore beaucoup de craquelins ou de croustilles, si vous salez au lieu d'assaisonner avec des herbes ou des épices, votre consommation de sodium peut vous faire perdre beaucoup de calcium, malgré tous vos efforts pour en avaler la bonne quantité.

Pour retenir le plus de calcium possible, limitez votre consommation de sodium à une quantité de 2000 à 3000 mg par jour. Évitez les aliments abondamment salés comme les charcuteries, les viandes pressées, les soupes en sachet, les bases de bouillon, les sauces soya, le glutamate de sodium, les différents sels d'ail et d'oignon, les fromages fondus et les conserves (voir

Tableau 27, page 110). Assaisonnez avec des herbes, des épices, du jus de citron, du vinaigre balsamique, de l'ail et/ou de l'oignon.

Modérez votre consommation de protéines animales. Une consommation excessive de protéines animales (viande, poulet et poisson) nuit à la masse osseuse en augmentant les pertes de calcium dans l'urine. Une consommation de protéines d'origine végétale comme le soya et les légumineuses ne semble pas mener aux mêmes pertes, selon des chercheurs japonais. On a évalué à 50 mg de calcium par jour la différence entre les pertes découlant d'un menu comprenant de la viande et celles d'un menu végétarien.

Par ailleurs, un menu végétarien strict qui ne renferme pas suffisamment de protéines et qui ne permet pas le maintien d'un poids santé nuit aussi à la densité osseuse. Une étude menée auprès de 258 bouddhistes végétariennes de Taiwan a noté que l'extrême minceur et la faible consommation de protéines étaient associées à des problèmes d'ostéopénie et augmentaient sensiblement les risques d'ostéoporose.

Une consommation modérée de protéines se situe aux environs de 60 g/jour (voir Tableau 30, page 125). Si vous répartissez ces protéines au cours de la journée pour en avoir suffisamment à chaque repas et si vous alternez entre des protéines d'origine animale et d'origine végétale, vous conserverez une belle énergie et minimiserez vos pertes de calcium.

La modération a bien meilleur goût!

5. Augmentez votre activité physique

Augmentez votre musculature et marchez environ 30 minutes par jour. L'exercice fait des merveilles. Après un an d'exercices de musculation 2 fois la semaine, des femmes ménopausées ont vu leur densité osseuse augmenter de 1 % au lieu de diminuer de 2,5 %, tel qu'observé chez des femmes sédentaires; elles ont également vu leur masse musculaire et leur force musculaire augmenter de façon significative.

> *Un exercice aussi simple qu'une promenade à pied quotidienne peut aussi diminuer vos risques de fractures. Alors, vous n'avez plus d'excuse!*

Tableau 28
Quel supplément de calcium choisir?

Tous les suppléments de calcium peuvent vous aider à atteindre votre objectif de 1200 à 1500 mg de calcium par jour.

Les suppléments à base de **carbonate** sont plus concentrés; ils fournissent plus de calcium dans chaque comprimé et doivent être pris avec des aliments, au moment d'une collation ou d'un repas, pour être mieux absorbés. Leur prix est aborbable.

Les suppléments à base de **citrate** ou **citrate malate** sont mieux absorbés, ne causent pas de problèmes digestifs et peuvent être pris à n'importe quel moment de la journée. Ils coûtent plus cher que ceux à base de carbonate.

Les autres formes de calcium comme le **fumarate**, le **gluconate** et le **succinate** n'ont pas de qualités particulières, mais elles sont souvent intégrées aux carbonates ou aux citrates.

Quant au **calcium chelaté**, il est enrobé d'un composé d'acides aminés qui le protège contre l'action négative de certaines fibres comme les phytates des céréales ou les oxalates des épinards ou de la rhubarbe. L'absorption du calcium est ainsi augmentée de 5 à 10 %, mais le prix du calcium chelaté est très élevé.

Certains suppléments renferment de la **poudre d'os** ou de la **dolomite**, deux autres sources de calcium qui semblent bien absorbées.

Recherchez la quantité de **calcium élémentaire** sur l'étiquette, car c'est ce calcium qui est retenu. Si l'information n'est pas donnée, demandez à votre pharmacien.

Prenez de petites doses à la fois, car le calcium est mieux absorbé en petites doses. Si vous devez prendre un supplément de 1000 mg par jour, vous avez avantage à répartir les doses en prenant, par exemple, 500 mg le matin et 500 mg le soir ou en prenant 300 mg après chaque repas.

Si vous ne buvez jamais de lait et que vous ne prenez pas de multivitamines et minéraux, recherchez un supplément de calcium qui renferme aussi de la vitamine D. Si la dose de vitamine D ne vous convient pas, recherchez un supplément de vitamine D à base d'huile de poisson.

Si vous avez des calculs rénaux, privilégiez le calcium dans les aliments plutôt que dans un supplément. Le calcium alimentaire nuit aux oxalates responsables de la formation des calculs et réduit par le fait même les risques de calculs. Buvez beaucoup d'eau, soit environ deux litres (8 tasses) par jour.

Tableau 29 Différents suppléments de calcium	
	Calcium (mg) élémentaire
Carbonate de calcium	
Caltrate 600 (Whitehall Robins)	600
Calcite 500	500
Calsan (Sandoz)	500
Os-Cal 500	500
Tums liquide	400 /5 ml
Tums en comprimé	200
Cal-K (Somapharm)	150
Tums extra-fort en comprimé	300
Carbonate de calcium avec vitamine D	
Caltrate 600 + D	600
Calcium D 500 (Laboratoires Trianon)	500
Cal-500-D (Prodoc)	500
Sisu: calcium/magnésium et vitamine D	480 / 30 ml
Adrien Gagnon: calcium/magnésium, vitamine D et zinc	350
Swiscal: calcium/magnésium, vitamine D, fer et zinc	333
Ménocal: calcium/magnésium, vitamines B12 et D, fer et zinc	333
Swiscal: calcium/magnésium, vitamines B12 et D, zinc	200
Citrate de calcium	
Citracal	200
Citrate Calcium (Swiss)	350
Cal-Citrus	200
Natural Factors Citrate plus: calcium/magnésium, manganèse, potassium et zinc	125
Citrate de calcium avec vitamine D	
Natural Factors Citrate plus D: calcium/magnésium, vitamine D, manganèse, potassium et zinc	250
Citrate Cal-Mag (Swiss): calcium/magnésium, vitamine D et zinc	300
Citracal + vitamine D	315
Autres suppléments	
Gramcal Sandoz	1000
Calcium-Sandoz forte(tablettes effervescentes)	500
Liquicks: calcium/magnésium, vitamine D et zinc	400 / 30 ml
Opti-Cal/Mag: calcium/magnésium, vitamine D et zinc	350
Boisson pétillante Calais (Mead Johnson)	300 / 300 ml
Floradix liquide: calcium/magnésium, vitamine D et zinc	155 / 30 ml
Calcium Sandoz	110 / 5 ml
Quest Cal-Mag: calcium/magnésium et vitamine D	100

Tableau 29A
Différents suppléments de calcium en France

Produit	Calcium (mg)
Carbonate de calcium	
Calcidose (Opo calcium)	500
Calciprat (Iprad)	500
Calnova (Wyeth-Lederlé)	600
Calperos (Doms-Adria)	500
Caltrate (White hall)	600
Densical (Caphal)	600
Orocal (théramet)	500
Carbonate de calcium et vitamine D	
Calcidose vitamine D3	500
Calciprat vitamine D3	500
Calperos vitamine D3	500
Caltrate vitamine D3	600
Densical vitamine D3	600
Orocal vitamine D3	500

Tableau 30
Menu comportant environ 60 g de protéines*

Repas	Aliment	Protéines (g)
Petit-déjeuner	Jus d'orange Crème de **tofu** et fruits frais	 12
Collation	Petit verre de **lait**	4
Repas du midi	Haricots verts et poivron jaune en salade Pita à la **dinde** et aux canneberges Kiwi	 15
Collation	**Yogourt**	7
Repas du soir	Endive Spaghetti de blé entier Sauce tomate aux **lentilles** et **parmesan râpé** Tranches d'orange	 8 13

Menu comportant environ 100 g de protéines

Repas	Aliment	Protéines (g)
Petit-déjeuner	Jus d'orange **2 œufs** Rôties de blé entier et **beurre d'arachide**	 13 10
Collation	Pomme et **fromage**	8
Repas du midi	Haricots verts et poivron jaune en salade Pita à la **dinde** et aux canneberges **Yogourt** et kiwi	 15 8
Repas du soir	**Bifteck** aux trois poivres Pomme de terre Salade verte **Crème glacée** à la vanille	45 5

* Les aliments en caractère gras renferment beaucoup de protéines.

CHAPITRE 9

Comment prévenir le cancer du sein

Le cancer du sein n'est pas directement relié à la ménopause, puisque 20 % des cas sont diagnostiqués avant 40 ans, mais la majorité surviennent chez des femmes âgées de 55 ans et plus. Cette maladie nous inquiète peut-être à tort, puisque trois femmes sur quatre s'en sortent bien portantes cinq ans après les traitements. Alors que l'incidence de la maladie continue de progresser, les chances de survie augmentent également.

Au moment où j'écris ce livre, je travaille à titre de diététiste bénévole auprès d'une équipe de 24 avironneuses atteintes du cancer du sein; elles ont tout juste terminé leur traitement et ont décidé de faire confiance à la vie et à leurs muscles. Elles ont participé au cours de l'été 1998 à trois courses nationales et elles ont dû améliorer leur alimentation pour faire face aux demandes additionnelles de l'entraînement. Combien j'admire leur énergie collective et leur courage. Je leur dédie ce chapitre, même si elles ont dépassé le stade de la prévention.

Les études démontrent de plus en plus que les aliments protecteurs peuvent aussi devenir des aliments guérisseurs.

DES HABITUDES ALIMENTAIRES QUI PROTÈGENT

Un comité d'experts de l'Institut américain pour la recherche sur le cancer déclarait en 1997 qu'il est possible de réduire de 30 à

50 % l'incidence du cancer du sein en adoptant une meilleure alimentation et en devenant physiquement plus active.

De fait, le cancer du sein est une maladie beaucoup plus répandue dans les pays industrialisés où les habitudes alimentaires et l'exercice physique laissent à désirer. Seul le Japon, qui possède une incidence de cancer six fois moins élevée qu'en Amérique, fait exception à la règle. Les chercheurs qui ont essayé de comprendre le phénomène se sont penchés sur la question du soya et ont noté que même parmi les Japonaises, celles qui prenaient régulièrement du soya avaient moins de cancer du sein que les autres. Mais lorsque les Japonaises déménagent aux États-Unis et qu'elles changent d'habitudes alimentaires, leurs filles en souffrent autant que les Américaines de la même génération.

Autre fait étonnant: alors qu'on a longtemps discuté du lien entre un excès de gras dans l'alimentation et le cancer du sein, on s'attarde maintenant à la sorte de gras consommée plutôt qu'à la quantité. Ainsi, les femmes inuites qui consomment beaucoup de gras de type oméga-3 (un bon gras) ainsi que les Méditerranéennes qui consomment de l'huile d'olive (un autre bon gras) en abondance ont moins de cancer du sein que les Nord-Américaines qui consomment au total moins de gras, mais une proportion plus grande de gras hydrogénés.

Une alimentation qui affecte le taux des hormones?

Plusieurs recherches sur le cancer du sein chez des femmes ménopausées ont relié la forte présence d'œstrogènes et de testostérone dans le sang à l'apparition de la maladie. D'autres chercheurs émettent l'hypothèse qu'une intervention nutritionnelle qui pourrait diminuer le taux de ces hormones dans le sang diminuerait aussi le risque du cancer du sein. On connaît donc maintenant certains facteurs qui augmentent les hormones en circulation.

La consommation d'alcool augmente la concentration des hormones dans le sang et les risques de cancer du sein. La dernière évaluation du risque publiée dans le *Journal of the American Medical Association* en février 1998 a pris en considération six grandes études menées au Canada, aux États-Unis, en Suède et en Hollande sur une population totale de 322 000 femmes. Les auteurs ont conclu que pour chaque 10 g d'alcool/jour, le risque augmentait de 9 % et que le risque était aussi important que peut l'être l'histoire familiale. Plusieurs autres études sont arrivées à des conclusions semblables (voir Tableau 31, page 135).

L'obésité après la ménopause a aussi un impact réel sur les hormones, puisque plus il y a de tissu gras, plus il y a transformation d'*androstendione* en œstrogènes; plus il y a d'œstrogènes qui circulent, plus les tissus mammaires deviennent vulnérables au cancer.

> *L'androstendione* est cette hormone produite par les glandes surrénales situées juste au-dessus des reins. Après la ménopause, lorsque les ovaires ne produisent plus d'œstrogènes, cette hormone se transforme en œstrogènes dans le tissu gras. Plus une femme est grasse, plus elle bénéficie de la protection des œstrogènes pour son ossature, mais plus elle devient vulnérable au cancer du sein.

Par ailleurs, certains aliments semblent diminuer les hormones en circulation. Une équipe de scientifiques italiens voulant vérifier l'impact d'une intervention nutritionnelle sur les hormones a recruté 104 Milanaises ménopausées qui ne prenaient pas d'hormones de remplacement, mais qui avaient des taux élevés de testostérone; elles étaient considérées comme des femmes à risques. La moitié de ces femmes n'a rien changé à son alimentation, alors que l'autre moitié a dû y apporter des modifications importantes: augmentation de la consommation d'aliments riches en phytoestrogènes (soya, légumineuses et graines de lin), d'aliments riches en fibres (grains entiers et légumineuses), d'aliments riches en gras oméga-3 (poissons, noix de Grenoble et légumes verts feuillus), de crucifères, de baies et diminution de la consommation de viande, de fromage et de sucre raffiné. Après six mois, les femmes qui avaient modifié leur alimentation ont vu leur taux de testostérone chuter de 18 % et leur taux de SHBG (Sex Hormone Binding Globulin) s'élever de 23 %.

La SHBG est une protéine qui circule dans le sang. Elle s'attache à la testostérone et, de façon moindre, aux œstrogènes. Lorsque la SHBG augmente dans le sang, elle réduit la concentration des hormones libres et diminue les risques de cancer du sein.
Les Japonaises, par exemple, ont plus de SHBG que les Britanniques et ont moins de cancer du sein que ces dernières.

L'alimentation a eu un tel effet sur le taux des hormones en circulation que les auteurs de l'étude italienne ont conclu qu'une alimentation semblable pourrait réduire de 25 à 30 % l'incidence du cancer du sein.

Plusieurs autres études ont examiné l'effet de certains aliments sur les hormones en circulation.

Par exemple, on sait maintenant qu'une dose de 10 g (1/4 tasse) de **son de blé** par jour peut diminuer les œstrogènes qui circulent dans le sang. D'autres aliments riches en fibres peuvent également agir en ce sens.

De plus, des aliments riches en **isoflavones,** en **lignanes,** en **caroténoïdes,** en **indoles** et en **flavonoïdes** ont également fait l'objet de passionnantes études. Ces études ont d'abord identifié ces substances et ont pu démontrer leurs mécanismes d'action anticancérigène.

Les **isoflavones** sont les phytoestrogènes présents dans le soya (voir Tableau 11, page 68). Elles peuvent limiter la production d'œstrogènes, augmenter la production de SBGH et réduire la circulation des œstrogènes dans le sang. Elles agissent à la façon d'un antiœstrogènes. La faible incidence de cancer du sein chez les Japonaises habitant le Japon et consommant régulièrement du soya constitue l'exemple le plus frappant de leur effet protecteur.

Les **lignanes** sont des phytoestrogènes présents dans les graines de lin et les produits céréaliers entiers. Comme dans le cas du soya, elles limitent la production et la circulation des œstrogènes, ce qui constitue leur action anticancérigène. Ne comptez toutefois pas sur l'huile de lin, car contrairement aux graines de lin, l'huile de lin ne contient pas ou très peu de lignanes.

Les **caroténoïdes** regroupent une grande famille de substances antioxydantes inconnues il y a dix ans, sauf en ce qui concerne le bêta-carotène. Ces substances se retrouvent dans les fruits et les légumes les plus colorés comme les carottes, les patates douces, les tomates, les épinards, le brocoli, le cantaloup et les abricots et sont maintenant considérées comme des agents anticancérigènes. Une étude menée dans cinq États américains auprès de 13 000 femmes a mesuré l'effet des légumes riches en caroténoïdes et a conclu que deux portions de carottes et/ou d'épinards par semaine diminuaient les risques de cancer du sein de 40 %.

Les **indoles** présents dans la famille des crucifères (brocoli, chou-fleur, choux de Bruxelles et chou vert ou rouge) peuvent également réduire les risques de cancer du sein en augmentant la conversion des œstrogènes en sous-produits antiœstrogéniques.

Les **flavonoïdes** présents dans les oranges, les pamplemousses, les citrons, les limes, les oignons et certains choux sont aussi considérés comme des agents anticancérigènes.

Comme vous pouvez le constater, il existe une foule de substances anticancérigènes enfouies dans les légumes les plus colorés, les grains entiers et le soya, sans oublier l'ail, le gingembre, la réglisse, le céleri, la coriandre, le persil et bien d'autres. Par ailleurs, la prise de suppléments de vitamines E ou C reconnues pour leurs actions antioxydantes n'a jamais pu montrer des effets aussi protecteurs que la consommation régulière de tous ces beaux aliments.

Quelques pistes de prévention

Plusieurs aliments savoureux peuvent jouer à leur façon un rôle actif dans la prévention du cancer du sein. Certains ne font peut-être pas partie de votre alimentation habituelle, mais ils méritent d'être découverts et adoptés sur une base plus régulière.

1. Incorporez des aliments riches en phytoestrogènes à votre menu quotidien

Comme vous l'avez lu précédemment, il existe deux catégories de phytoestrogènes: les isoflavones et les lignanes.

Parmi les plus riches sources d'isoflavones se trouvent la farine de soya, les fèves soya cuites ou rôties, le tofu, les boissons de soya, la poudre d'isolat de protéines de soya, le tempeh ainsi que des aliments contenant du soya (voir Tableaux 10, 11 et 12, pages 66 à 69). N'oubliez surtout pas que le soya renferme d'autres substances anticancérigènes également reconnues par de nombreuses études. Ne comptez toutefois pas sur la sauce soya, la sauce tamari ou l'huile de soya, car ces produits ne contiennent pas les substances recherchées.

Parmi les meilleures sources de lignanes, se trouvent les graines de lin, puis loin derrière les grains entiers et leurs produits céréaliers, certains légumes et les baies.

Pour bénéficier pleinement de leur action protectrice, vous devez intégrer tous les jours à votre alimentation une à deux portions d'aliments riches en soya ainsi que 10 à 15 ml (2 c. à thé à 1 c. à soupe) de graines de lin moulues.

Consultez les recettes des pages 58 à 60 pour multiplier les façons d'apprêter ou de camoufler le soya. Quant aux graines de lin, vous les achetez en vrac (au magasin d'aliments naturels, habituellement), les conservez au frigo et les réduisez en poudre à l'aide d'un petit moulin à café. Vous en incorporez 10 à 15 ml (2 c. à thé à 1 c. à soupe), une fois moulues, à vos céréales du matin ou dans un yogourt ou dans la Crème de tofu aux fruits frais (voir recette, page 58) ou même dans une compote de fruits.

2. Augmentez votre consommation de crucifères ou de légumes très colorés

Devenez une coloriste alimentaire et intégrez les légumes les plus verts et les plus orangés à vos repas de tous les jours:

- commencez le repas par un jus de tomate, à défaut de légumes plus colorés;
- grignotez des carottes miniatures en préparant le repas;

- faites plus souvent de savoureuses salades de chou avec pomme et noix de Grenoble;
- ajoutez des feuilles d'épinards ou de roquette à votre salade de verdures habituelle ou glissez une feuille d'épinard dans votre sandwich;
- découvrez de nouvelles verdures comme la bette à carde, le chou cavalier, le chou frisé et les feuilles de pissenlit, toutes plus vitaminées les unes que les autres; faites-les cuire à la vapeur et arrosez-les d'un filet de jus de citron et de quelques gouttes d'huile d'olive;
- préparez de jolis mélanges de légumes avec des fleurs de brocoli, des patates douces taillées en cubes, des pois verts et quelques carottes; faites cuire au four à micro-ondes et aromatisez d'un peu de pistou; un délice très coloré!

Une consommation généreuse de légumes rapporte plusieurs dividendes santé. Plusieurs fruits comme le cantaloup et les agrumes le font aussi.

3. Conservez une consommation modérée de bons gras

Même s'il demeure avantageux de limiter le gras total du menu pour réduire la quantité d'œstrogènes en circulation, certains gras comme les gras oméga-3 présents dans les poissons, les fruits de mer et les algues ainsi que dans les graines de lin sont à conserver.

Vous pouvez aussi utiliser de l'huile d'olive en petite quantité sans augmenter vos risques.

Il est par ailleurs recommandé par tous les experts dans le domaine de réduire votre consommation de viande, de beurre et de fromage, sources importantes de gras animal et saturé. Quant aux gras hydrogénés (voir Tableau 1, page 19), si vous pouvez les éviter complètement, c'est encore mieux.

4. Augmentez votre consommation de légumineuses et de grains entiers

Une consommation plus importante de légumineuses vous permet d'obtenir des protéines d'excellente qualité et de remplacer quelques repas de viande. Les pois chiches, les lentilles et les haricots vous fournissent aussi des fibres qui peuvent diminuer les œstrogènes qui circulent et augmenter le SHBG, facteur qui réduit les risques de cancer du sein.

Les grains entiers et leurs produits céréaliers ont, eux aussi, une action intéressante à cause de leur contenu en lignanes et en fibres. Le son et le germe des diverses céréales renferment la plus grande partie des substances actives, alors que le pain blanc, le riz blanc et les autres produits raffinés ont subi des pertes immenses.

5. Réduisez votre consommation d'alcool au minimum

De l'avis de tous les experts, un verre de vin, de bière ou autre alcool par jour semble la dose acceptable, mais pas obligatoire, bien entendu! (voir Tableau 31, page 135).

> *Redécouvrez les fruits, les légumes, les grains entiers; encouragez le soya et les graines de lin et augmentez votre résistance au cancer du sein.*

Tableau 31 Contenu en alcool de quelques boissons alcoolisées		
Boisson	Quantité	Alcool (g)
Bière		
Ordinaire	360 ml (12 oz)	13
Légère	360 ml (12 oz)	10
Extra-légère	360 ml (12 oz)	8
0,5%	360 ml (12 oz)	2
Spiritueux et autres		
Martini	90 ml (3 oz)	19
Gin, rhum, vodka et whisky	45 ml (1,5 oz)	15
Brandy et cognac	30 ml (1 oz)	11
Vin		
Vermouth sec	90 ml (3 oz)	13
Vin rouge	120 ml (4 oz)	12
Vermouth sucré	90 ml (3 oz)	12
Vin blanc sec	120 ml (4 oz)	11
Sherry	60 ml (2 oz)	9
Porto	60 ml (2 oz)	7

Source: *Human Nutrition*, Guthrie, H. A. et Picciano, M. F., Mosby 1995.

CHAPITRE 10

La formule gagnante à la ménopause

1. Du plaisir au menu
2. Trois *vrais* repas par jour contenant la bonne dose de protéines et, si nécessaire, des collations
3. Du soya sous diverses formes et des graines de lin *tous les jours*
4. Une quantité abondante de fruits et légumes frais *tous les jours*
5. De bons gras pour les vinaigrettes et la cuisson: huile d'olive ou de canola. Au menu: poissons gras, noix et avocat *en quantité modérée*
6. Des produits laitiers allégés ou d'autres bonnes sources de calcium et vitamine D *tous les jours*
7. Des légumes verts feuillus, des légumineuses, des grains entiers et autres aliments riches en minéraux *régulièrement*
8. Une activité physique quotidienne: au moins 30 minutes de marche *par jour*
9. Le supplément approprié quand c'est nécessaire

Vous avez la tête remplie de diverses informations. Vous avez lu plusieurs conseils nutritionnels tout au long de ce livre pour vous aider à soulager un problème spécifique ou pour prévenir certaines maladies à long terme. Vous voulez maintenant savoir quoi manger pour traverser la ménopause le plus aisément possible et vieillir en santé. Alors, voici la formule gagnante qui vous permet de mieux répondre à vos besoins en période de transition hormonale.

Ces consignes ne remplacent aucunement les guides alimentaires connus. Au contraire, elles les complètent. Elles tiennent compte de vos points faibles, réorientent certains choix alimentaires et vous guident vers une routine agréablement saine!

Lisez et relisez ce qui suit. Changez graduellement quelques éléments de votre menu et découvrez de nouveaux plaisirs alimentaires. Vous gagnerez sur plusieurs plans.

Redécouvrez le plaisir de manger

Ne restez pas accrochée à la notion que le plaisir n'est qu'un excès d'aliments riches, frits, sucrés ou chocolatés. La confusion entre la gloutonnerie et une saine gourmandise a assez duré. Faites honnêtement le bilan de vos repas inoubliables et de vos plats favoris; vous serez surprise de trouver plusieurs aliments intéressants parmi vos heureux souvenirs.

J'ai fait cet exercice il y a quelques années. J'ai alors constaté que dans ma vie le plaisir se limitait rarement à la simple dégustation d'un aliment. J'ai découvert que je ressens déjà un grand plaisir à faire de belles trouvailles au marché: verdures exceptionnellement fraîches et croustillantes, fruits mûrs et parfumés, épices ou fines herbes de qualité, poissons qui sentent la mer ou pain de grains encore tout chaud. Lorsque je consulte des livres de recettes, je salive et j'ai aussi du plaisir. À table, le goût de l'aliment frais bien préparé et bien relevé me réjouit, mais le couvert, l'ambiance et la compagnie ajoutent une dose de plaisir que je trouve fort appréciable. Pour moi, le plaisir de manger, c'est en quelque sorte un cadeau que je m'offre en achetant de beaux et bons aliments, en les apprêtant et en les servant avec soin. C'est un rituel que je respecte le plus souvent possible.

Faites votre propre réflexion et vous verrez que le plaisir n'est pas nécessairement synonyme de croustilles, frites ou gâteau au chocolat. Il est associé à une foule de petites choses qui entourent l'achat des aliments, le choix de la recette, le décor, la compagnie, l'ambiance, la nappe, la vaisselle, votre humeur. Si vous y prêtez attention, vous pouvez même redonner à vos repas une dose additionnelle de plaisir.

Sur le plan des saveurs, redécouvrez le goût exquis de l'aliment dans toute sa fraîcheur; vous constaterez qu'il est simple de rehausser de quelques crans votre plaisir de manger:

- pressez quelques oranges à jus laissées à la température de la pièce toute une nuit; savourez lentement ce jus sucré et parfumé à l'heure du petit-déjeuner;
- achetez des filets de poisson frais plutôt que surgelés; faites-les cuire jusqu'à ce qu'ils perdent leur transparence; ils fondent dans la bouche;
- utilisez des herbes fraîches comme la ciboulette, le thym et le basilic dans vos recettes en multipliant par trois la quantité demandée d'herbes séchées; goûtez-en la différence;
- utilisez une huile d'olive extra-vierge et répandez ce soleil du Midi dans vos salades ou sur vos légumes verts feuillus.

Pour paraphraser Jean-François Revel, je dirais que la connaissance des bons aliments et des associations savoureuses est aussi importante que la connaissance des valeurs nutritives.

Prenez le temps de savourer; c'est permis et ça ne coûte pas plus cher!

Si vous avez perdu le plaisir de cuisiner:

- simplifiez vos recettes, mais recherchez toujours l'aliment le plus frais;
- renouvelez votre inspiration en consultant de nouveaux livres de recettes; recherchez des plats, dont les ingrédients sont faciles à trouver, et les méthodes de préparation réduites au strict minimum;
- dénichez le restaurant ou le traiteur qui peut vous préparer des plats avec la bonne dose de protéines, les bons gras, des tonnes de crudités et des légumes à peine cuits;

• faites-vous le plaisir de manger à table dans un coin agréable, en bonne compagnie ou au son d'une musique qui vous inspire.

NE SAUTEZ JAMAIS UN REPAS

Lorsque vous mangez au moins trois vrais repas par jour, vous n'avez plus de creux ni de rages. Vous n'avez plus besoin de grignoter en soirée. Vous ressentez une sorte de paix intérieure... et, du même coup, vous stimulez votre métabolisme au lieu de participer au ralentissement associé à la ménopause. Vous pouvez même freiner un gain de poids, plutôt que d'en être complice sans le savoir. Vous retrouvez aussi une meilleure énergie et favorisez une meilleure absorption de plusieurs éléments nutritifs, dont le calcium.

N'oubliez jamais qu'un *vrai* repas renferme la bonne dose de protéines (15 g au minimum), deux généreuses portions de légumes crus ou cuits, un fruit frais et un produit céréalier à grains entiers.

Au petit-déjeuner, ne sous-estimez pas l'importance des protéines pour bien démarrer la journée. Un repas dans un verre peut faire l'affaire.

> ❧Déposez au mélangeur 200 ml (7 oz) de lait et 60 g (2 oz) de tofu soyeux; ajoutez 125 g (4 oz) de fraises fraîches ou congelées sans sucre et une larme de miel; mélangez jusqu'à consistance lisse, et le tour est joué.

Ne mangez pas trop d'aliments riches au même repas si vous voulez faciliter le travail métabolique. Mieux vaut manger plus souvent que trop à la fois. Si vous avez faim entre les repas, recherchez une saine collation.

Si vous n'avez jamais d'appétit le matin, mais que vous dévorez le soir, ce n'est pas une excuse valable. Faites l'effort de manger un vrai repas quelques matins de suite et vous verrez, l'appétit s'ajustera rapidement à votre nouvel horaire. Vous aurez l'impression de manger plus, alors que vous mangerez mieux.

Si vous ne croyez pas avoir le temps de manger, réorganisez votre emploi du temps et inscrivez vos repas comme des pauses alimentaires obligatoires. Aucun syndicat ne peut vous en empêcher...

INTÉGREZ DES PHYTOESTROGÈNES À VOTRE ALIMENTATION QUOTIDIENNE

Qu'il s'agisse des malaises associés à la ménopause, de prévention de maladies cardiovasculaires ou de cancer du sein, les recherches des dernières années démontrent clairement que les aliments riches en phytoestrogènes ont des effets très positifs pour la santé des femmes, à court et à long terme.

Si vous n'avez pas de problème particulier, incorporez régulièrement du soya et des graines de lin à votre menu. Si, par ailleurs, vous avez un problème de cholestérol, des bouffées de chaleur ou une histoire familiale de cancer du sein, soyez plus rigoureuse et calculez au moins 75 mg d'isoflavones provenant du soya et une cuillère à soupe de graines de lin moulues par jour. De cette façon, vous bénéficiez pleinement des effets reconnus des phytoestrogènes.

- Utilisez le tofu ordinaire ou soyeux pour faire des mousses, des crèmes ou des sauces; n'encouragez pas le tofu faible en gras, puisqu'il a perdu une partie des phytoestrogènes.
- Choisissez une boisson de soya enrichie de calcium et de vitamine D de préférence aux autres boissons de soya.
- Si vous ne réussissez pas à prendre suffisamment de tofu ou de boisson de soya, mangez des produits qui renferment du soya ou encore complétez votre menu avec de la poudre de protéines de soya (voir Tableau 8, page 63). Vous avez l'embarras du choix.
- Prenez aussi des graines de lin tous les jours, 15 ml (1 c. à soupe) une fois moulues. Ces graines constituent une excellente source de lignanes – qui sont d'autres phytoestrogènes. Elles ont non seulement une action intéressante sur la santé cardiovasculaire et la prévention du cancer, mais elles peuvent nourrir votre peau à cause de leur riche contenu en acides gras oméga-3.

• Réduisez-les en poudre dans un petit moulin à café ou avec un mortier, pour favoriser une meilleure assimilation. Mélangez la poudre obtenue à une compote de fruits; intégrez à la Crème de tofu aux fruits frais (voir recette, page 58), à un yogourt ou à un bol de céréales.

Mangez plus de fruits et légumes, de l'entrée au dessert

Qu'il s'agisse du maintien d'un poids santé, de lutte contre la constipation ou l'hypertension, de prévention de différents cancers ou encore de protection contre un surplus d'acidité dans l'organisme, les fruits et les légumes ressortent de toutes les études comme les grands aliments protecteurs. Malgré tous leurs atouts, leur richesse en vitamines, en minéraux, en fibres et en substances bioactives, ils demeurent encore les parents pauvres de notre alimentation.

Faites le bilan de votre consommation actuelle; si vous atteignez huit à dix portions par jour, vous avez déjà la formule gagnante. Sinon, vous avez du travail à faire.

• Consultez les Tableaux 32 et 33, pages 150-151. Remarquez que ces champions toutes catégories sont tous très colorés.

• Osez choisir des fruits et légumes moins connus; faites un détour à la fruiterie ou au marché; demandez des conseils au personnel, si nécessaire; choisissez les plus frais, car la fraîcheur demeure une garantie de qualité nutritionnelle.

• Mettez-vous au vert en choisissant plus souvent les légumes verts feuillus comme le chou cavalier, le pak-choï, le chou vert frisé ou la bette à carde; faites cuire à la vapeur; arrosez d'un filet de jus de citron et de quelques larmes d'huile d'olive.

• Faites l'essai de fruits exotiques comme la mangue, la papaye, le kaki ou le fruit de la Passion; ils sont parfois si parfumés que la première bouchée vous donne l'impression de voyager dans les pays les plus lointains. Essayez une moitié de papaye avec du jus de limette ou un quartier de cantaloup avec quelques fraises ou mûres en saison. Reconsidérez la pastèque qui se situe bien haut dans le palmarès des fruits les plus nutritifs.

• Si de généreuses portions de légumes crus vous causent des ennuis gastro-intestinaux, réduisez votre consommation sous cette forme, mais faites des jus maison à l'aide d'un extracteur ou préparez des salades de légumes finement râpés, plus faciles à digérer. Ou encore faites-les cuire à la vapeur juste le temps d'attendrir la fibre.

- Si vous ne tolérez pas les fruits crus, faites de belles purées au mélangeur et mélangez ces purées avec un jus de fruits ou un yogourt. Pochez les fruits dans un jus de fruits ou faites-les cuire au four à micro-ondes quelques minutes, le temps d'attendrir la fibre.

Si le fruit mangé à la fin du repas vous inquiète, détendez-vous et lisez ce qui suit. Les enzymes digestives sont beaucoup plus efficaces que ne le prétendent les mordus des combinaisons alimentaires; elles sont capables d'atteindre rapidement les fruits mangés à n'importe quel moment du repas. Le fruit frais mangé à la fin du repas demeure le dessert le plus sain qui soit. Si vous voulez réduire vos problèmes de digestion, méfiez-vous plutôt des fritures qui elles demeurent très longtemps dans l'estomac; le gras cuit, même s'il est consommé au début du repas, se digère beaucoup plus lentement et difficilement.

Vous serez toujours gagnante en mangeant plus de fruits et de légumes, car, en plus de vous fournir des éléments nutritifs protecteurs, ils ajoutent couleurs et saveurs à votre repas.

Conservez les bons gras

Le débat autour des différents gras a créé beaucoup de confusion et en a mené plusieurs à faire la guerre à tous les gras, quels qu'ils soient. Or, de nombreuses recherches récentes soulignent les bénéfices d'une consommation modérée des bons gras, soit les gras monoinsaturés et les gras oméga-3. Les premiers ont fait leurs preuves sur le plan cardiovasculaire, alors que les seconds se transforment, entre autres, en substances anti-inflammatoires fort intéressantes.

Il vaut donc mieux pour vos artères et votre système immunitaire manger de bons gras en quantité modérée que d'utiliser des aliments sans gras ou des faux gras.

Parmi les meilleures sources de gras monoinsaturés on trouve l'huile d'olive extra-vierge, l'huile de canola ou de noisette, les noix, l'avocat et les olives. Utilisez ces huiles de préférence à toute autre matière grasse pour la cuisson et les vinaigrettes. Évitez de les employer pour la friture, car elles perdent leurs qualités nutritionnelles et alourdissent la digestion.

Lorsque vous avez un creux, grignotez des amandes, des noix de Grenoble ou des noisettes qui fournissent du bon gras, alors que les biscuits, les craquelins et les croustilles en renferment du mauvais.

Parmi les meilleures sources de gras de type oméga-3 se trouvent des poissons comme le saumon, le maquereau, le hareng, la truite et les sardines. Les noix de Grenoble, les graines de lin et le soya en renferment également. Consommez une bonne variété de poissons, mais n'hésitez pas à en manger plusieurs fois par semaine. Utilisez les graines de lin et le soya tel que suggéré précédemment.

Conservez les produits laitiers allégés ou adoptez des solutions de rechange valables

Malgré les récentes campagnes anti-lait, vous avez avantage à conserver des produits laitiers allégés à votre menu quotidien, puisqu'ils constituent vraiment les sources de calcium les plus faciles à consommer. Ils fournissent du même coup de bonnes quantités de protéines et des vitamines du complexe B. Sans être irremplaçables et sans offrir de garantie anti-ostéoporose, ils demeurent des aliments sains et nutritifs.

Le lait, qu'il soit entier ou écrémé, renferme plus de 300 mg de calcium par 250 ml (1 tasse). Les nouveaux laits enrichis de substances laitières en renferment 425 mg par 250 ml (1 tasse). Dans les deux cas, la vitamine D est ajoutée et favorise l'absorption du calcium.

Les yogourts nature, qu'ils soient allégés ou ordinaires, fournissent près de 300 mg de calcium par 175 g (6 oz). Les yogourts aux fruits contiennent plus de sucre, donc moins de calcium. Quant au kéfir, riche en ferments, il renferme 350 mg par 250 ml (1 tasse), alors que certains fromages frais aromatisés en fournissent 200 mg. Ces produits laitiers allégés ne sont toutefois pas enrichis de vitamine D.

Si vous êtes intolérante au lactose, essayez d'abord les laits délactosés (Lactaid et Lacteeze) que l'on peut maintenant trouver partout. Si vos malaises gastro-intestinaux persistent, certaines boissons de soya peuvent devenir une solution de rechange intéressante, car certaines sont maintenant enrichies de 300 mg de calcium par 250 ml (1 tasse) ainsi que de vitamine D. Elles fournissent également des protéines, des vitamines et d'autres minéraux. Consultez l'étiquette, car plusieurs ne sont pas encore enrichies.

Si la boisson pétillante enrichie de calcium vous intéresse, vous obtenez 300 mg de calcium par 250 ml (1 tasse), mais aucun autre élément nutritif.

Si vous considérez les épinards comme une bonne source de calcium, vous faites malheureusement fausse route, car ils renferment trop d'oxalates nuisibles à l'absorption du calcium. Toutefois, certains légumes verts feuillus comme le chou cavalier, le pak-choï, le chou frisé et les feuilles de moutarde vous donnent moins de calcium par portion, mais ce calcium est merveilleusement bien absorbé, encore mieux que celui que l'on trouve dans le lait. Ces verdures très intéressantes doivent faire partie de votre quotidien si vous voulez réduire votre consommation de produits laitiers sans en subir les conséquences.

Ne comptez pas sur le bouillon maison préparé avec une carcasse de poulet mijotée pendant plusieurs heures avec quelques cuillères de vinaigre. Des analyses effectuées il y a quelques années à l'Université d'Arizona ont démontré que très peu de calcium se retrouve dans un tel bouillon (8 à 11 mg/250 mg), malgré certaines croyances.

Rappelez-vous cependant que le calcium est mieux absorbé lorsque vous le prenez en petites doses de 100 à 300 mg à la fois, qu'il soit sous forme d'aliments ou de suppléments. Vous devez également prévoir la bonne dose de vitamine D pour favoriser son absorption.

Mangez plus d'aliments riches en minéraux comme le fer, le magnésium, le zinc, le cuivre, le manganèse et le boron

Plusieurs minéraux participent activement au maintien de votre équilibre osseux et sanguin. Ils participent à une foule de réactions importantes, mais font malheureusement défaut dans l'alimentation de plusieurs femmes. Ils ne contribuent donc pas à votre mieux-être comme ils le pourraient.

Ces minéraux se trouvent dans plusieurs aliments différents, mais en consultant les divers tableaux, vous avez vu que certains aliments sont nettement plus riches en minéraux que d'autres. Parmi ceux-ci se trouvent les légumineuses, les légumes feuillus très verts et les divers grains entiers. D'autres aliments comme le foie et les huîtres sont exceptionnellement riches en fer et en zinc.

Sans faire de révolution alimentaire, incorporez graduellement les meilleures sources de minéraux à votre menu.

• Saupoudrez vos céréales de germe de blé ou de son de blé et déjà, vous gagnez du fer, du zinc, du manganèse et du magnésium!

• Ajoutez des légumineuses à vos soupes de légumes, à vos salades ou à vos casseroles et gagnez du fer, du manganèse et du magnésium. Essayez une nouvelle recette par semaine à base de lentilles, de pois chiches ou de haricots.

• Cuisinez les légumes verts feuillus, les épinards ou la bette à carde le plus simplement du monde, à la vapeur ou dans très peu d'eau. Servez-les avec un soupçon d'ail et d'huile d'olive; ou encore, intégrez-les à vos sauces favorites pour pâtes ou à une garniture de pizza.

• Adoptez une fois pour toutes un pain de grains entiers, qu'il soit de blé, d'épeautre, de seigle ou de plusieurs grains. Oubliez le riz blanc et faites place au riz brun. Avec ces quelques changements, vous récoltez du magnésium, des fibres, du manganèse, de la vitamine B6, du cuivre et chaque bouchée vous rapporte plus que le produit raffiné.

• Incorporez des noix et de l'avocat au menu de la semaine et vous augmentez facilement votre apport en boron.

Si votre alimentation ne renferme ni légumineuses, ni légumes verts feuillus, ni grains entiers, ni noix, vous aurez beaucoup de mal à satisfaire vos besoins en minéraux.

Faites plus d'exercice

L'activité physique stimule toutes les composantes de votre corps et complète à merveille les mesures alimentaires suggérées. Elle vous permet de préserver votre masse musculaire, de maintenir une bonne densité osseuse, de prévenir la constipation, de stimuler le métabolisme à brûler plus de calories, d'augmenter le bon cholestérol (HDL), d'abaisser la pression artérielle, de diminuer la résistance à l'insuline et d'entretenir une belle énergie. Elle constitue un outil absolument indispensable à votre mieux-être et doit être intégrée à votre routine.

J'ai longtemps fait partie des femmes qui se croient sédentaires pour la vie et qui n'en souffrent pas. J'avais nettement plus d'attirance pour la lecture et le brocoli que pour le ski! Ce n'est qu'au milieu de la quarantaine que j'ai amorcé le virage vers plus d'activités physiques et sportives. Je suis maintenant convaincue que l'exercice fait une énorme différence dans ma qualité de vie. Je ne pourrais plus m'en passer.

Il n'est donc jamais trop tard pour commencer...

Plusieurs chercheurs ont évalué l'impact de l'exercice sur la santé des femmes en général et des femmes postménopausées. Tous ont constaté des effets positifs. Certains concluent à la nécessité d'efforts intenses et soutenus, mais plusieurs privilégient l'exercice modéré et régulier, soit 30 minutes de marche par jour, presque tous les jours.

À vous de choisir ce qui vous convient le mieux. Vous pouvez vous abonner à un centre de conditionnement physique si cela vous sourit, mais ce n'est pas nécessaire. Vous n'avez qu'à vous acheter de bons souliers de marche. Commencez graduellement pour réchauffer vos muscles. Ne brusquez rien. Tous les exercices font du bien, mais l'idéal est de faire à la fois de l'aérobie et de la musculation.

- Trouvez toutes les excuses pour faire travailler vos os et vos muscles.
- Marchez le plus souvent et le plus longtemps possible.
- Transportez vos colis.
- Montez les escaliers au lieu de prendre l'ascenseur.

- Jardinez ou visitez de beaux jardins.
- Trouvez un sport qui vous fait plaisir.
- Devenez membre d'un club de marche ou de randonneurs.
- Découvrez à pied votre ville ou votre village.

N'HÉSITEZ PAS À PRENDRE LE SUPPLÉMENT APPROPRIÉ QUAND C'EST NÉCESSAIRE

Les aliments demeurent la source privilégiée de tous les éléments nutritifs nécessaires à la santé, mais lorsqu'ils ne suffisent pas à la tâche ou lorsque vos besoins dépassent ce que peut vous fournir une alimentation normale, ils doivent être complétés par un supplément.

Je rencontre rarement des femmes qui mangent suffisamment de tous les aliments importants. Je considère les suppléments comme des alliés qui peuvent aider les femmes à bénéficier de tous les éléments nutritifs essentiels lorsque le contexte alimentaire fait défaut.

À la ménopause, le réaménagement hormonal impose un stress additionnel à tout l'organisme et les risques de déficiences sont plus élevés qu'à l'ordinaire. Ces déficiences passent souvent inaperçues, mais peuvent affecter la peau, l'ossature ainsi que les système cardiovasculaire et immunitaire. Elles peuvent être réduites au minimum lorsque vous avez recours au bon supplément, tout en améliorant votre alimentation. Encore faut-il que vous choisissiez le supplément le plus utile pour vous.

Une multivitamine et minéraux? Après avoir consulté les différents tableaux de ce livre, vous arrivez à la conclusion que votre consommation régulière d'aliments riches en minéraux autres que le calcium est assez faible. Vous ne voyez pas comment satisfaire vos besoins seulement par votre alimentation. Vous avez donc avantage à prendre tous les jours un supplément qui renferme des quantités adéquates des principales vitamines et toute la gamme des minéraux importants comme le manganèse, le cuivre, le fer, le zinc et le magnésium. Un tel type de supplément peut améliorer le fonctionnement du système immunitaire, compléter l'action du calcium et abaisser un taux trop élevé d'homocystéine, facteur de risque cardiovasculaire. Recherchez un supplément qui fournit, entre autres, les éléments nutritifs suivants dans des doses qui ne dépassent pas celles qui sont indiquées:

Doses d'éléments nutritifs à rechercher	
vitamine C	80 à 200 mg
acide folique	400 µg (ou 0,4 mg)
vitamine B6	3 à 5 mg
fer	10 à 15 mg
bêta-carotène	3000 à 5000 UI
manganèse	5 mg
cuivre	2,5 mg
zinc	15 mg

Des doses plus fortes ne sont pas recommandées.

Un supplément de calcium? Vous n'aimez pas les produits laitiers, vous en prenez peu ou encore pas du tout parce que vous ne les tolérez pas. Vous avez du mal à atteindre vos besoins en calcium avec les autres sources alimentaires. Vous devez donc avoir recours à un supplément de calcium dans une dose qui complète ce que vous prenez déjà dans vos aliments. Consultez les Tableaux 28 et 29, pages 122-123, pour bien choisir et bien intégrer le supplément à votre routine.

Un supplément de vitamine E? Vous avez entendu parler de l'effet de la vitamine E pour prévenir l'oxydation du cholestérol et réduire les maladies cardiovasculaires; votre alimentation peut vous fournir un maximum de 20 UI par jour. Quelques chercheurs ont de fait observé qu'un supplément de vitamine E pris pendant plus de deux ans diminuait de 40 % le risque d'accident cardiovasculaire. D'autres chercheurs ont noté une amélioration de la réponse immunitaire avec un tel supplément. La dose recommandée se situe entre 200 et 400 UI par jour. Ne dépassez pas cette dose, surtout si vous faites de l'hypertension, de l'hyperthyroïdie ou si vous prenez un anticoagulant.

Un supplément d'huile d'onagre? L'huile d'onagre renferme du gras gamma-linolénique qui est plus facilement utilisé par l'organisme que les deux autres acides gras essentiels. Ce supplément a fait l'objet de plusieurs recherches et ne semble pas soulager les malaises associés spécifiquement à la ménopause. Il peut toutefois être utile pour diminuer, entre autres, les problèmes de peau sèche et de tension prémenstruelle. Ce supplément, que l'on trouve en capsules et en atomiseur, demeure un supplément intéressant.

D'autres suppléments peuvent vous être utiles pour compléter votre alimentation ou répondre à des problèmes particuliers. Consulter votre diététiste-nutritioniste ou votre médecin afin de faire le bon choix.

La formule gagnante peut avoir très bon goût!

Tableau 32
Les fruits les plus riches* en vitamines, en minéraux, et en fibres alimentaires

Fruit		Portion moyenne
Goyave		1
Pastèque	370 g	2 tasses
Pamplemousse rose ou rouge		1/2
Papaye		1/2
Kiwis		2
Cantaloup		1 quartier
Abricots séché	35 g	1/4 tasse
Orange		1
Fraises		8
Abricots frais		4
Mûres	140 g	1 tasse
Pêche séchée	40 g	1/4 tasse
Framboises	130 g	1 tasse
Pamplemousse blanc		1/2
Mandarine		1
Kaki		1
Mangue		1/2
Melon Honeydew		1/10
Carambole		1

Source: Healthy foods, *Nutrition Action Healthletter,* mai 1998.
* Par ordre décroissant; le premier renferme plus d'éléments nutritifs que les suivants.

Tableau 33
Les légumes les plus riches* en vitamines, en minéraux, et en fibres alimentaires

Légume	Portion moyenne	
Chou cavalier (collards) cuit	70 g	1/2 tasse
Épinards cuits	90 g	1/2 tasse
Chou frisé (kale)	65 g	1/2 tasse
Bette à carde cuite	65 g	1/2 tasse
Poivron rouge	40 g	1/2
Patate douce cuite, sans peau	130 g	1 moyenne
Citrouille	120 g	1/2 tasse
Carottes cuites ou crues	80 g	1/2 tasse
Brocoli cuit	80 g	1/2 tasse
Okra		1/2 tasse
Choux de Bruxelles	82 g	1/2 tasse
Pomme de terre au four, avec la peau		1
Courges d'hiver	125 g	1/2 tasse
Poivron vert	40 g	1/2
Persil frais	16 g	1/4 tasse
Pois mange-tout, cuits	75 g	1/2 tasse
Pois verts surgelés	85 g	1/2 tasse

Source: *Nutrition Action Healthletter*, 1997.

* Par ordre décroissant; le premier renferme plus d'éléments nutritifs que les suivants.

Bibliographie

Introduction

Campion, E. W. Aging better. *The New England Journal of Medicine,* 1998; 338(15): 1064-1066.

Most women have a positive view of menopause. *North American Menopause Society,* 1997.

Vita, A. J. et coll. Aging, health risks, and cumulative disability. *The New England Journal of Medicine,* 1998; 338(15): 1035-1041.

Poids

Aloia, J. F. et coll. The influence of menopause and hormonal replacement therapy on body cell mass and body fat mass. *American Journal of Obstetrics and Gynecology,* 1995; 172(3): 896-900.

Andersson, B. et coll. Influence of menopause on dietary treatment of obesity. *Journal of Internal Medicine,* 1990; 227: 173-181.

Andres, R. et coll. Long-term effects of change in body weight on all-cause mortality. A review. *Annals of Internal Medecine,* 1993; 119: 737-743.

Bongain, A. et coll. Obesity in obstetrics and gynecology. *European Journal of Obstetrics & Gynecologic Reproductive Biology,* 1998; 77: 217-228.

Brzezinski, A. et J. J. Wurtman, Managing weight through the transition years. *Menopause Management,* 1993: 18-23.

Curfman, G. D. Diets pills Redux. *The New England Journal of Medicine,* 1997; 337(9).

Espeland, M. A. et coll. Effect of postmenopausal hormone therapy on body weight and waist and hip girths. *Journal of Clinical Endocrinology and Metabolism,* 1997; 82(5): 1549-1556.

Heini, A. F. et R. L. Weinsier. Divergent trends in obesity and fat intake patterns: the American paradox. *The American Journal of Medicine,* 1997; 102: 259-264.

Kahn, H. S. et coll. Stable behaviors associated with adults' 10-year change in body mass index and likelihood of gain at the waist. *American Journal of Public Health,* 1997; 87(5): 747-754.

Kassirer, J. P. et M. Angell. Losing weight - an ill fated New Year's resolution. *The New England Journal of Medicine,* 1998; 338(1): 52-54.

Khoo S. K. et coll. Hormone Therapy in women in the menopause transition. Randomized, double blind, placebo-controlled trial of effects on body weight, blood pressure, lipo protein levels, anti thrombin III activity and the endometrium. *Medical Journal of Australia,* 1998; 5: 216-220.

Kirchengast, S. et coll. Menopause-associated differences in female fat patterning estimated by dual-energy X-ray absorptiometry. *Annals of Human Biology,* 1997; 24(1): 45-54.

Kritz-Silverstein, D. et E. Barrett-Connor. Long-term postmenopausal hormone use, obesity, and fat distribution in older women. *Journal of the American Association,* 1996; 275(1): 46-49.

Langlois, J. A. et coll. Weight change between age 50 years and old age is associated with risk of hip fracture in white women aged 67 years and older. *Archives of Internal Medecine,* 1996; 156(9): 989-994.

Lee, I. M. et R. S. Paffenbarger Jr. Is weight loss hazardous? *Nutrition Reviews,* 1996; 54: S116-S124.

Lemieux, S. et coll. Seven-year changes in body fat and visceral adipose tissue in women. Association with indexes of plasma glucose-insulin homeostasis. *Diabetes Care,* 1996; 19(9): 983-991.

Melanson, K. J. et coll. Fat oxidation in response to four graded energy challenges in younger and older women. *American Journal of Clinical Nutrition,* 1997; 66: 860-866.

Meyer, H. E. et coll. Changes in body weight and incidence of hip fracture among middle aged Norwegians. *British Medical Journal,* 1995; 311(6997): 91-92.

Pasquali, R. et coll. Body weight, fat distribution and the menopausal status in women. *International Journal of Obesity,* 1995; 18: 614-621.

Pouillès, J. M. et coll. Influence of body weight variations on the rate of bone loss at the beginning of menopause. *Annales d'Endocrinologie,* 1995; 56(6): 585-589.

Reubinoff, B. E. et coll. Effects of hormone replacement therapy on weight, body composition, fat distribution, and food intake in early postmenopausal women: a prospective study. *Fertility and Sterility,* 1995; 64(5): 963-968.

Stevens, J. et coll. The effect of age on the association between body-mass index and mortality. *The New England Journal of Medicine,* 1998; 338(1): 1-7.

Taylor, R. W. et coll. Body mass index, waist girth, and waist-to-hip ratio as indexes of total and regional adiposity in women: evaluation using receiver operation characteristic curves. *American Journal of Clinical Nutrition,* 1998; 67: 44-49.

Thompson, J. L. et coll. Effects of diet and exercise on energy expenditure in postmenopausal women. *American Journal of Clinical Nutrition,* 1997; 66: 867-873.

Turcato, E. et coll. Interrelationships between weight loss, body fat distribution and sex hormones in pre- and postmenopausal obese women. *Journal of Internal Medicine,* 1997; 241(5): 363-372.

Wardlaw, G. M. Putting body weight and osteoporosis into perspective. *American Journal of Clinical Nutrition,* 1996; 63(3) Suppl.: 433S-436S.

Wing, R. R. et coll. Environmental and familial contributions to insulin levels and change in insulin levels in middle-aged women. *Journal of the American Medical Association,* 1992; 268(14): 1890-1895.

Wurtman, J. Changement dans le poids à la ménopause. *Une véritable amie,* 1992; 9: 9-12.

BOUFFÉES DE CHALEUR

Adlercreutz, C. H. Dietary phyto-oestrogens and the menopause in Japan. *The Lancet,* 1992; 339(8803): 1233.

Adlercreutz, C. H. et coll. Urinary excretion of lignans and isoflavonoid phytoestrogens in Japanese men and women consuming traditional Japanese diet. *American Journal of Clinical Nutrition,* 1991; 54: 1093-1100.

Albertazzi, P. et coll. The effect of soy supplementation on hot flushes. *Obstetrics and Gynecology,* 1998; 91(1): 6-10.

Bolton-Smith, C. et coll. Evidence for age-related differences in the fatty acid composition of human adipose tissue, independent of diet. *European Journal of Clinical Nutrition,* 1997; 51(9): 619-624.

Brzezinski, A. et coll. Short-term effects of phytoestrogens-rich diet on postmenopausal women. *Menopause: The Journal of the North American Menopause Society,* 1997; 4(2): 89-94.

Chenoy, R. et coll. Effect of oral gamolenic acid from evening primrose oil on menopausal flushing. *British Medical Journal,* 1994; 308(6927): 501-503.

Dalais, F. S. et coll. Effects of dietary phytoestrogens in post-menopausal women. 8th International Congress on the Menopause, Sydney, 1996.

Dwyer, J. T. et coll. Tofu and soy drinks contain phytoestrogens. *Journal of the American Dietetic Association,* 1994; 94: 739-743.

Eldridge, A. C. Determination of isoflavones in soybean flours, protein concentrates, and isolates. *Journal of Agriculture and Food Chemistry,* 1982; 30: 353-355.

Hirata, J. D. et coll. Does dong quai have estrogenic effects in postmenopausal women? A double-blind, placebo-controlled trial. *Fertility and Sterility,* 1997; 68(6): 981-986.

Horrobin, D. F. Loss of delta-6-desaturase activity as a key factor in aging. *Medical Hypotheses,* 1981; 7(9): 1211-1220.

Knight, D. C. et J. A. Eden. A review of the clinical effects of phytoestrogens. *Obstetrics and Gynecology,* 1996; 87(5): 897-903.

Lock, M. Contested meaning of the menopause. *The Lancet,* 1991; 337: 1270-1272.

Murkies, A. L. et coll. Clinical review 92: Phytoestrogens. *Journal of Clinical Endocrinology and Metabolism,* 1998; 83(2): 297-303.

Ordre professionnel des diététistes du Québec. *Analyse de produit: vitamine E.* Comité sur les produits naturels, fiche 002, 1998.

Shaw C. R., The perimenopausal hot flash: epidemiology, physiology and treatment. *Nurse Practice,* 1997; 22(3): 55-56, 61-66.

Wang, H.-J. et P. A. Murphy. Isoflavone content in commercial soybean food. *Journal of Agriculture and Food Chemistry,* 1994; 42: 1666-1673.

Maladies cardiovasculaires

Anderson, J. W. et coll. Meta-analysis of the effects of soy protein intake on serum lipids. *The New England Journal of Medicine,* 1995; 333(5): 276-282.

Bouchard, C. *Les maladies cardiovasculaires chez la femme: Formation continue,* Ordre professionnel des diététistes du Québec, 1997.

Byers, T. Hardened fats, hardened arteries? *The New England Journal of Medicine,* 1997; 337(21): 1544-1545.

de Lorgeril, M. et coll. Effect of Mediterranean type of diet on the rate of cardiovascular complications in patients with artery disease, *Journal of the American College of Cardiology,* 1996; 28: 1103-1108.

Garland, M. et coll. The relation between dietary intake and adipose tissue composition of selected fatty acids in US women. *American Journal of Clinical Nutrition,* 1998; 67: 25-30.

Gavaler, J. S. et coll. An international study of the relationship between alcohol consumption and postmenopausal estradiol levels. *Alcohol and Alcoholism. Supplement,* 1991; 1: 327-330.

Ginsburg, E. S. et coll. Effects of alcohol ingestion in estrogens postmenopausal women. *Journal of the American Medical Association,* 1996; 276: 1747-1751.

Hu, F. B. et coll. Dietary fat intake and the risk of coronary heart disease in women. *The New England Journal of Medicine,* 1997; 337(21): 1491-1499.

Hulley, S. et coll. Randomized trial of oestrogen plus progestin for secondary prevention of coronary heart disease in postmenopausal women. *Journal of the American Medical Association*, 1998; 280: 605-613.

JAMA and The Archives Journals editors. Estrogen replacement therapy and heart disease: a discussion of the PEPI trial. *Archives Journal Club/Women's Health*, WEB, 1997.

Jeppesen, J. et coll. Effects of low-fat, high-carbohydrate diets on risk factors for ischemic heart disease in postmenopausal women. *American Journal of Clinical Nutrition*, 1997; 65: 1027-1033.

Kjekshus, J. et T. R. Pedersen. Reducing the risk of coronary events: evidence from the Scandinavian Simvastatin Survival Study (4S). *The American Journal of Cardiology*, 1995; 76: 64C-68C.

Lapidus, L. et coll. Dietary habits in relation to incidence of cardiovascular disease and death in women: a 12 year follow-up of participants in the population study of women in Gothenburg, Sweden. *American Journal of Clinical Nutrition*, 1986; 44: 444-448.

Nestel, P. J. et coll. Soy isoflavones improve systemic arterial compliance but not plasma lipids in menopausal and perimenopausal women. *Arteriosclerosis Thrombosis Vascular Biology*, 1997; 17(12): 3392-3398.

Newnham, H. H. et J. Silberberg. Women's heart are hard to break. *The Lancet*, 1997; 349 (suppl. I): sI3-sI6.

Petitti, D. B. Hormone replacement therapy and heart disease prevention. Experimentation trumps observation. *Journal of the American Medical Association*, 1998; 280: 650-652.

Poehlman, E. T. et coll. Menopause-associated changes in plasma lipids, insulin-like growth factor I and blood pressure: a longitudinal study. *European Journal of Clinical Investigations*, 1997; 27(4): 322-326.

Portaluppi, F. et coll. Relative influence of menopausal status, age, and body mass index on blood pressure. *Hypertension*, 1997; 29(4): 976-979.

Renaud, S. et coll. Cretan Mediterranean diet for prevention of coronary heart disease. *American Journal of Clinical Nutrition*, 1995; 61 (suppl.): 1360S-1367S.

Shelley, J. M. et coll. Relationship of endogenous sex hormones to lipids and blood pressure in mid-aged women. *Annals of Epidemiology*, 1998; 8(1): 39-45.

Simkin-Silverman, L. et coll. Prevention of cardiovascular risk factor elevations in healthy premenopausal women. *Prevention Medicine,* 1995; 24(5): 509-517.

Sitruk-Ware, R. Cardiovascular risk at the menopause - Role of sexual steroids. *Hormonal Ressource,* 1995; 43: 58-63.

Stefanick, M. L. et coll. Effects of diet and exercise in men and postmenopausal women with low levels of HDL cholesterol and high levels of LDL cholesterol. *The New England Journal of Medicine,* 1998; 339(1): 12-20.

Sundram, K. et coll. Trans (elaidic) fatty acids adversely affect the lipoprotein profile relative to specific saturated fatty acids in humans. *Journal of Nutrition,* 1997; 127(3): 514S-520S.

Thomas, J. L. et coll. Coronary artery disease in women. *Archives of Internal Medicine,* 1998; 158: 333-337.

Tikkanen, M. J. et coll. Effect of soybean phytoestrogen intake on low density lipoprotein oxidation resistance. *Proceedings National Academy of Sciences USA,* 1998; 95(6): 3106-3110.

Tinker, L. F. Diabetes mellitus - a priority health care issue for women. *Journal of the American Dietetic Association,* 1994; 94(9): 976-985.

van Beresteijn Emerentia, C. H. et coll. Perimenopausal increase in serum cholesterol: A 10 year longitudinal study. *American Journal of Epidemiology,* 1993; 137(4): 383-392.

Willeit, J. et coll. The role of insulin in age-related sex differences of cardiovascular risk profile and morbidity. *Atherosclerosis,* 1997; 130(1-2): 183-189.

Williams, M. J. et coll. Regional fat distribution in women and risk of cardiovascular disease. *American Journal of Clinical Nutrition,* 1997; 65: 855-860.

Ostéoporose

Albala, C. et coll. Obesity as a protective factor for postmenopausal osteoporosis. *International Journal of Obesity & Related Metabolic Disorders,* 1996; 20(11): 1027-1032.

Atkinson, S. Avoiding the fracture zone. Calcium: why get more? *Nutrition Action Healthletter,* 1998; 25(3): 3-7.

Barzel, U. S. Dietary patterns and blood pressure. *The New England Journal of Medicine,* 1997; 337(9): 636.

Chiu, J.-F. et coll. Long-term vegetarian diet and bone mineral density in postmenopausal Taiwanese women. *Calcified Tissue International,* 1997; 60: 245-249.

Curhan, G. C. et coll. Comparison of dietary calcium with supplemental calcium and other nutrients as factors affecting the risk for kidney stones in women. *Annals of Internal Medicine,* 1997; 126: 497-504.

Dawson-Hughes, B. Osteoporosis treatment and the calcium requirement. *American Journal of Clinical Nutrition,* 1998; 67: 5-6.

Dawson-Hughes, B. et coll. Effect of calcium and vitamin D supplementation on bone density in men and women 65 years of age or older. *The New England Journal of Medicine,* 1997; 337(10): 670-676.

Franceschi, S. et coll. The influence of body size, smoking, and diet on bone density in pre- and postmenopausal women. *Epidemiology,* 1996; 7(4): 411-414.

Heaney, R. P. Bone mass, nutrition, and other lifestyle factors. *Nutrition Reviews,* 1996; 54(4): S3-S10.

Hosking, D. et coll. Prevention of bone loss with alendronate in postmenopausal women under 60 years of age. *The New England Journal of Medicine,* 1998; 338(8): 485-492.

Institute of Medecine, Food and Nutrition Board. National Academy of Sciences. *Dietary References intake for calcium, phosphorus, magnesium, vitamin D and fluoride,* National Academy Press, Washington D.C., 1997.

Itoh, R. et coll. Dietary protein intake and urinary excretion of calcium: a cross-sectional study in a healthy Japanese population. *American Journal of Clinical Nutrition,* 1998; 67: 438-444.

Jamal, S. A. et coll. Warfarin use and risk for osteoporosis in elderly women. *Annals of Internal Medicine,* 1998; 128: 829-832.

Kanis, J. A. et coll. The diagnosis of osteoporosis. *Journal of Bone and Mineral Research,* 1994; 9(8): 1137-1141.

Kaufman, J. M. Role of calcium and vitamin D in the prevention and the treatment of postmenopausal osteoporosis: an overview. *Clinical Rheumatology,* 1995; 14(3) Suppl.: 9-13.

Meacham, S. L. Effect of boron supplementation on blood and urinary calcium, magnesium, and phosphorus, and urinary boron in athletic and sedentary women. *American Journal of Clinical Nutrition,* 1995; 61(2): 341-345.

Michelson, D. et coll. Bone mineral density in women with depression. *The New England Journal of Medicine,* 1996; 335: 1176-1181.

Naghii, M. R. et coll. The boron content of selected foods and the estimation of its daily intake among free-living subjects. *Journal of the American College of Nutrition,* 1996; 15(6): 614-619.

Newnham, R. E. Essentiality of boron for healthy bones and joints. *Environmental Health Perspectives,* 1994; 102 (suppl. 7): 83-85.

Nielsen, F. H., Biochemical and physiologic consequences of boron deprivation in humans. *Environmental Health Perspectives,* 1994; 102(suppl. 7): 59-63.

Nieves, J. W. et coll. Calcium potentiates the effect of estrogen and calcitonin on bone mass: review and analysis. *American Journal of Clinical Nutrition,* 1998; 67: 18-24.

Prince, R. L. Diet and the prevention of osteoporotic fractures. *The New England Journal of Medicine,* 1997; 337(10): 701.

Reid, I. R. Therapy of osteoporosis: calcium, vitamin D, and exercise. *American Journal of Medicine Science,* 1996, Dec.; 312(6): 278-286.

Reid, I. R. et coll. Long-term effects of calcium supplementation on bone loss and fractures in postmenopausal women: a randomized controlled trial. *American Journal of Medicine,* 1995; 98(4): 331-335.

Strause, L. et coll. Spinal bone loss in postmenopausal women supplemented with calcium and trace minerals. *Journal of Nutrition,* 1994; 124(7): 1060-1064.

Suleiman, S. et coll. Effect of calcium intake and physical activity level on bone mass and turnover in healthy, white, postmenopausal women. *American Journal of Clinical Nutrition,* 1997; 66: 937-943.

Utiger, R. D. The need for more vitamin D. *The New England Journal of Medicine,* 1998; 338(12): 828.

Van Loan, M. D. et coll. Effect of weight loss on bone mineral content and bone mineral density in obese women. *American Journal of Clinical Nutrition,* 1998; 67: 734-738.

Volpe, S. L. et coll. The relationship between boron and magnesium status and bone mineral density in the human: a review. *Magnesium Research,* 1993; 6(3): 291-296.

CANCER

Adlercreutz, C. H. et coll. Dietary phytoestrogens and cancer: *in vitro* and *in vivo* studies. *Journal of Steroid Biochemistry & Molecular Biology,* 1992; 41(3-8): 331-337.

Adlercreutz, C. H. et coll. Soybean phytoestrogens intake and cancer risk. *Journal of Nutrition,* 1995; 125(3 Suppl.): 757S-770S.

Adlercreutz, C. H. et W. Mazur. Phyto-œstrogens and Western diseases. *Annals of Medicine,* 1997; 29(2): 95-120.

Berrino, F. et coll. A randomized trial to prevent hormonal patterns at high risk for breast cancer: the DIANA (diet and androgens) project. Milan, Italy: Instituto Nazionale Tumori, 1997 (sous presse).

Bordonada, R. et coll. Alcohol intake and risk of breast cancer: the Euramic study. *Neoplasma,* 1997; 44(3): 150-156.

Cohen, L. A. et coll. A rationale for dietary intervention in postmenopausal breast cancer patients: an update. *Nutrition and Cancer,* 1993; 19(1): 1-10.

Freudenheim, J. L. et coll. Premenopausal breast cancer risk and intake of vegetables, fruits, and related nutrients. *Journal of the National Cancer Institute,* 1996; 88(6): 340-348.

Goodman, M. T. et coll. Association of soy and fiber consumption with the risk of endometrial cancer. *American Journal of Epidemiology,* 1997; 146: 294-306.

Horn-Ross, P. L. Phytoestrogens, body composition, and breast cancer. *Cancer Causes Control,* 1995; 6(6): 567-573.

Ingram, D. et coll. Case control study of phyto-oestrogens and breast cancer (see comments). *The Lancet,* 1997; 350: 990-994

Longnecker, M. P. et coll. Intake of carrots, spinach, and supplements containing vitamin A in relation to risk of breast cancer. *Cancer Epidemiology, Biomarkers and Prevention,* 1997; 6(11): 887-892.

Martin, M. E. et coll. Interactions between phytoestrogens and human sex steroid binding protein. *Life Science,* 1996; 58(5): 429-436.

Messina, M. J. et coll. Soy intake and cancer risk: a review of the *in vitro* and *in vivo* data. *Nutrition and Cancer,* 1994; 21(2): 113-131.

Schardt, D. Phytochemicals: plants against cancer. *Nutrition Action Healthletter,* 1994; 21(3): 9-11.

Smith-Warner, S. A. et coll. Alcohol and breast cancer in women: A pooled analysis of cohort studies. *Journal of the American Medical Association,* 1998; 279(7): 535-540.

Steinmetz, K. A. et J. D. Potter Vegetables, fruit, and cancer prevention. A review. *Journal of the American Dietetic Association,* 1996; 96: 1027-1039.

Stoll, B. A. Eating to beat breast cancer: potential role for soy supplement. *Annals of Oncology,* 1997; 8(3): 223-225.

Thune, I. et coll. Physical activity and the risk of breast cancer. *The New England Journal of Medicine,* 1997; 336(18): 1269-1275.

Winston, J. C. Phytochemicals: guardians of our health. *Journal of the American Dietetic Association,* 1996; 5(3): 6-8.

Yan, L. et coll. Dietary flaxseed supplementation and experimental metastasis of melanoma cells in mice. *Cancer Letter,* 1998; 124(2): 181-186.

Zava, D. T. et G. Duwe. Estrogenic and antiproliferative properties of genistein and other flavonoids in human breast cancer cells *in vitro. Nutrition and Cancer,* 1997; 27(1): 31-40.

Zhang, S. et coll. Better breast cancer survival for postmenopausal women who are less overweight and eat less fat. The Iowa Women's Health Study. *Cancer,* 1995; 76(2): 275-283.

Zumoff, B. Does postmenopausal estrogen administration increase the risk of breast cancer? Contributions of animal, biochemical, and clinical investigative studies to a resolution of the controversy. *Proceedings of Society Experimental Biolology and Medecine,* 1998; 217(1): 30-37.

ALIMENTATION GAGNANTE

Appel, L. J. et coll. A clinical trial of the effects of dietary patterns on blood pressure. *The New England Journal of Medicine,* 1997; 336(16): 1117-1124.

Chandra, R. J. Effect of vitamin and trace-element supplementation on immune responses and infection in elderly subjects. *The Lancet,* 1992; 340: 1124-1127.

Chandra, R. J. Graying of the immune system; can nutrient supplements improve immunity in the elderly. *Journal of the American Medical Association,* 1997; 277(17): 1398-1399.

Choay, P. et coll. Value of micronutriment supplements in the prevention or correction of disorders accompanying menopause. *Revue française de gynécologie et obstétrique,* 1990; 85(12): 702-705.

Connell Hadfield, L. et coll. Calcium content of soup stocks with added vinegar. *Journal of the American Dietetic Association,* 1989; 89: 1810-1811.

Houde Nadeau, M. La biodisponibilité de calcium. *Diététique en action,* 1998; 12(1): 11-13.

Kushi, L. H. et coll. Dietary antioxidant vitamins and death from coronary heart disease in postmenopausal women. *The New England Journal of Medicine,* 1996; 334(18): 1156-1162.

Oakley, G. P. Eat right and take a multivitamin. *The New England Journal of Medicine,* 1998; 338(15): 1060-1061.

Rimm, E. B. Folate and vitamin B_6 from diet and supplements in relation to risk of coronary heart disease among women. *Journal of the American Medical Association,* 1998; 279: 359-364.

Stampfer, M. J. et coll. Vitamin E consumption and the risk of coronary disease in women. *The New England Journal of Medicine,* 1993; 328(20): 1444-1449.

SOURCES DE VALEURS NUTRITIVES

Brault-Dubuc, M. et L. Caron Lahaie. *Valeur nutritive des aliments,* Société Brault-Lahaie, Saint-Lambert, 1994.

Hands, E. S. *Food Finder, food sources of vitamins and minerals,* ESHA Research, États-Unis, 1990.

Apports nutritionnels recommandés

Santé et Bien-être social Canada. *Recommandations sur la nutrition,* rapport du comité de révision scientifique, Canada, 1990.

Apports suffisants

Institute of Medecine, Food and Nutrition Board. National Academy of Sciences. *Dietary References intake for calcium, phosphorus, magnesium, vitamin D and fluoride,* National Academy Press, Washington D.C., 1997.

Livres de recettes de tofu

Chelf, Vicky. *La grande cuisine végétarienne, tome I,* Montréal, Éditions Stanké, 1985.

Chelf, Vicky. *La grande cuisine végétarienne, tome II,* Montréal, Éditions Stanké, 1989.

Chelf, Vicky. *La grande cuisine végétarienne, tome III,* Montréal, Éditions Stanké, 1995.

Gardon, Anne. *La cuisine, naturellement. Les délices sans viande,* Montréal, Les Éditions de l'Homme, 1995.

Tremblay, Yvon et Frances Boyte. *La magie du tofu,* Montréal, Éditions Stanké, 1987.

Tremblay, Yvon. *Tofu,* Montréal, Éditions Stanké, 1986.

Index

Liste des tableaux

Table des matières

IMPRIMÉ AU CANADA